BOOKS on DEMAND

Stefan Konrad

Die Flüchtlinge

Keine Tränen mehr zum Weinen

Bibliografische Information der Deutschen Nationalbibliothek:
Die Deutsche Nationalbibliothek verzeichnet diese Publikation in der Deutschen Nationalbibliografie; detaillierte bibliografische Daten sind im Internet über http://dnb.dnb.de abrufbar.

Herstellung und Verlag: BoD – Books on Demand, Norderstedt

ISBN: 978-3-738653076

Meine Familie lebte in Jugoslawien in dem Ort Karavukovo vier Kilometer von der Donau und hundert Kilometer nördlich von Belgrad. Die größte Zahl der fünftausend Einwohner sind Deutsche.

Die Vorfahren der Deutschen sind im 18. Jahrhundert mit Floß und Schiffen aus dem Schwabenland und Bayern auf der Donau nach Osteuropa ausgewandert. Diese Auswanderer nannte man auch Donauschwaben.

Das flache Land im Überschwemmungsgebiet der Donau wurde mit Kanälen durchzogen und trocken gelegt. Es wurde ein fruchtbares Ackerland. Die Menschen in dem Ort hatten ein gutes Leben. Die meisten arbeiteten in der Landwirtschaft, auch Vater arbeitete in der Landwirtschaft bei seinen Eltern. Die haben einen großen Bauernhof und sind auch vermögend.

Mutter half oft im Sommer bei der schweren Feldarbeit, und wenn sie davon erzählte, schwärmte sie von den saftigen Wassermelonen. Mit denen stillten sie ihren Hunger und den Durst in der Sommerhitze. Mein Vater Josef Konrad heiratete meine Mutter Katharina geb. Merkel. Sie bekamen drei Söhne, Michael, Josef und Erwin.

Vater hat durch seine Eltern, die finanzielle Möglichkeit, für die Familie mit viel Eigenleistung ein Haus zu bauen, worauf er sehr stolz war. In dem Garten vor dem Haus wurden Paprika, Tomaten, Zwiebel, Kartoffel, und auch Tabak angepflanzt.

Die Geschwister von Vater und Mutter wohnen auch in dem Ort Karavukovo, und leben vorwiegend auch von der Landwirtschaft. Mutter arbeitet wieder in der Spinnerei, wo sie vor ihrer Hochzeit schon mal gearbeitet hat. Die Schwester von Mutter die Tante Anna Millie hat drei Töchter Marianna, Anna und Monika. Die älteste Tochter Marianna hat auch in der Spinnerei Arbeit gefunden. Marianna hat einen guten Schlaf, und sie würde jeden Morgen verschlafen, Mutter muss meine Cousine Marianna fast jeden Morgen wecken. Marianna aufstehen, wir müssen auf die Arbeit, ruft meine Mutter jeden Morgen, und klopfte an die Haustür bis meine Cousine sich meldete. Ich komme sofort rief Marianna und kommt verschlafen aus der Tür. Dann gingen Sie gemeinsam zur Arbeit. Es war eine glückliche und schöne Zeit in Karavukovo.

1942 der Zweite Weltkrieg ist in vollem Gange. Das deutsche Militär war in Jugoslawien einmarschiert und das Land Jugoslawien besetzt.

Es wird unruhig im Dorf. Deutsche SS Soldaten suchen nach Juden in den Häusern und verhaften diese.

Nicht weit von unserem Haus, müssen geschätzte zwanzig Leute eine große Grube ausheben.

Wie viele Menschen in dem Massengrab begraben wurden, ob es Juden oder Jugoslawische Partisanen waren, ist uns nicht bekannt.

Das deutsche Militär brauche Soldaten um die Front nach Osten zu verstärken. SS-Offiziere sind im Dorf versuchen junge Männer für den Krieg gegen Russland zu überreden.

Die SS Offiziere machen den Dorfbewohner Angst, und sagen, wenn der Russe die Oberhand gewinnt, dann müsst Ihr Deutschen hier alle weg. Sie redeten auf die jungen Männer ein, das deutsche Volk braucht tapfere Soldaten die Ihre Heimat verteidigen können, sagten sie. Viele der jungen Männer ließen sich zum Militär einziehen, oder meldeten sich sogar freiwillig zum Militär.

Auch mein Vater Josef Konrad wurde zum Militär eingezogen. Es spielten sich dramatische Szenen ab. Die Frauen wollten die Männer und Väter ihrer Kinder von dem Kriegseinsatz zurückhalten. Aber jeder wusste, es ist gefährlich in dieser Zeit den Wehrdienst zu verweigern. Die Männer wurden dann innerhalb von ein paar Tagen von Fahrzeugen abgeholt. Die Frauen stehen mit Ihren Kindern bei den Militärfahrzeugen, um Abschied zu nehmen. Mein Vater umarmte meine Mutter und meine Geschwister Michael und Josef, alle weinen, auch mein Vater weint. Dann ging alles sehr schnell. Der Befehl kommt, alle auf die Fahrzeuge, und Abmarsch.

Die Fahrzeuge setzen sich in Bewegung, die Kinder und die Frauen liefen den Militärfahrzeugen hinterher und winken noch zum Abschied, bis die Fahrzeuge nicht mehr zu sehen sind.

Die Zeit vergeht Mutter hat von unserem Vater nichts mehr gehört. Meine Geschwister fragen immer wieder, Mutter, wann kommt der Vater wieder? Mutter musste meine Geschwister immer wieder beruhigen, und sagte, ach der kommt bald wieder. Aber Sie wusste auch, dass er vielleicht nicht mehr kommt, und dass das Schicksal gegen ihre Wünsche ist.

Als mein Vater schon eine Weile bei den Soldaten eingezogen war, spürte meine Mutter, dass sie wieder schwanger ist. 1943 kam mein Bruder Erwin auf die Welt.

Damals wurde oft den Kindern der Vorname von den Eltern oder Großeltern gegeben.

So hatte mein Bruder Josef den gleichen Vornamen wie mein Vater.

Ein Jahr vergeht, meine Mutter hat drei Söhne Michael elf Jahre, Josef fünf, Erwin war jetzt schon ein Jahr alt.

Die ältere Schwester meiner Mutter, Anna, hatte drei Töchter. Marianna ist jetzt schon 16 Jahre, Anna und Monika waren im gleichen Alter wie meine Brüder.

Als im Jahr 1944 das deutsche Militär zurückgedrängt wurde, und die Ostfront immer näher kommt, verstärkten sich die Gerüchte, die Russen kommen, vergewaltigen die Frauen erschießen und erschlagen alle Deutschen. Die brutalen Informationen gingen schnell durch das ganze Dorf. Die Einwohner wurden nervös, und es gab nur noch ein Thema im Dorf, was tun, wenn die Russen kommen. Angst verbreitet sich unter den Deutschen. Schnell war jedem klar, wir müssen hier weg, wir müssen die Heimat und den Ort Karavukovo verlassen.

Meine Mutter fing schon langsam an zu packen. Sie hatte drei Kinder und wollte nicht unvorbereitet sein, wenn sie flüchten müssen.

Michael du musst mir helfen, Michael hole mir mal das, oder tue das, mein zwölfjähriger Bruder musste schon die Rolle des Vaters übernehmen, als der zum Militär ging.

Als die Front nur noch sechzig Kilometer entfernt war, die Einschläge der Granaten konnte man schon hören. Auch von Jugoslawischen Partisanen gab es Übergriffe auf die deutsche Zivilbevölkerung. Da kam große Angst auf. Dann heißt es, wir müssen hier schnell weg, wir müssen das Land Jugoslawien verlassen, wir müssen nach Deutschland flüchten. Es kam große Hektik auf. Die Familien mussten sich Pferde und Wagen besorgen.

Es wurde gesagt wer ein Wagen hat der bekommt auch Pferde oder wird an einen anderen Wagen angehängt.
Es ist Aufbruch Stimmung, Pferdewagen werden durch die Straßen geführt und vor den Häusern abgestellt. Meine Mutter hat einen Planwagen von den Schwiegereltern bekommen.
Meine Tante Anna Milli geht von einem Bauernhaus zum anderen, und versucht einen Wagen zu bekom¬men. Ein Schulfreund von meiner Cousine Marianna sagt leise, Marianna wir haben noch ein Wagen im Schuppen versteckt, aber verrate mich bitte nicht bei meinen Eltern. Meine Tante und Marianna gehen zu dem Bauernhof und fragen, habt ihr noch einen Wagen für uns? Die Bäuerin antwortet abweisend, wir haben keinen Wagen mehr. Meine Tante geht zu dem Schuppen, macht das Tor auf und sagt, da ist doch noch ein Wagen, den holen wir uns gleich ab. Die Bäuerin verschwindet schimpfend im Haus. Meine Tante holt noch Hilfe um den Wagen abzu¬holen. Sie schieben den Wagen aus dem Schuppen und durch die Straßen von Karavukovo bis vor das Haus von meiner Tante. Dann wird angefangen den Wagen zu packen.
Auch meine Mutter fängt an ihren Wagen zu pa-cken, der vor Ihrem Haus abgestellt ist. Auf den Wa¬gen ist nicht viel Platz, es wurde nur das nötigste mit-genommen Decken, Windel für den kleinen Erwin, Ersatzkleidung, Kochgeschirr und Proviant für ein paar Tage, Schinken, Speck, Wurst, Käse und Brot wurden auf den Wagen gepackt. Meine Mutter hatte einen Wagen aber keine Pferde, so wurde ihr Wagen hinter einem anderen Wagen befestigt, der mit zwei Pferden eingespannt war. Das gefällt meiner

Mutter gut, so kann Sie sich mehr um Ihre drei Kinder kümmern, und muss nicht noch Pferde versorgen. Sie setzte sich mit unserem ein Jahr alten Bruder Erwin auf den Wagen, Michael und Josef saßen schon auf dem Wagen. Für die Kinder war das alles sehr abenteuerlich und spannend. Sie konnten den Ernst der plötzlichen Flucht nicht begreifen. Viele Frauen mussten selbst das Gespann fahren. Die Frauen sind mit der Landwirtschaft aufgewachsen Sie hatten Erfahrung mit Pferdewagen und konnten damit gut umgehen. Der Fahrer von unserem Doppel-Wagen setzte das Gespann in Bewegung und reite sich in die Wagenkolonne ein. Immer wieder treffen Flüchtlinge mit Ihren Pferde und Ochsenwagen auf die Kolonne. Vor der schmalen Brücke, die über den Kanal der Mostung führt, kommt es zum Stau. Als meine Tante nochmals das Gepäck auf ihrem Wagen überprüft sagt sie wir haben die Windeln vergessen. Marian- na ruft sie, lauf noch mal schnell Heim und hole die Windeln. Marianna rennt los, geht ins Haus, sucht die Windeln. Als sie in den Schrank schaut sieht sie ihren blauen Faltenrock, schnell zieht sie sich um, eine weiße Bluse, den Faltenrock und Lacksandalen. Dann schnappt sie die Windeln und geht in den Keller und dreht alle Weinfässer auf. Wenn wir den Wein nicht haben können, sollen die Russen den auch nicht haben, denkt sie. Schnell läuft sie mit den Windeln zu den Wagen zurück. Als ihre Mutter und die Oma Merkel Marianna mit ihrer feschen Kleidung sehen sagt die Oma, Marianna wir gehen doch nicht zum Tanzen, wir müssen flüchten. Oma fährt mit dem Wagen meiner hoch schwangeren Tante Anna und ihren drei Töchtern mit.

Mein Großvater Merkel lebte nicht mehr, und die Eltern von meinem Vater sind schon alt, sie wollten

Ihr kleines Vermögen und die Heimat nicht mehr verlassen, Sie sind in dem Ort Karavukovo zurückgeblieben. Später haben meine Eltern erfahren, dass Sie in einem Lager verhungert sind. So ist es vielen ergangen die zurückgeblieben sind.
Ein Mann übernahm die Führung und gab das Signal zum Losfahren. Eine Kolonne mit fast fünfzig Pferde- und Ochsenwagen setzte sich in Bewegung. Das Ziel ist Deutschland. Die Kolonne kam nur langsam voran. Als die Flüchtlinge mit Ihren Wagen, am nächsten Tag unterwegs sind, hören sie Flugzeuge, die immer näher kommen. Die Flüchtlinge schreien Fliegerangriff, Fliegerangriff, meine Mutter schnappte sich den kleinen Erwin und nahm in auf den Arm, und Josef an die Hand sprang vom Wagen und rannte mit den drei Kindern in das angrenzende Feld. Alle hatten große Angst. Die Kinder weinen. Mutter schrie den Sohn Michael an, hinlegen, hinlegen, und warf sich selbst mit den beiden kleinen Kindern auf die Erde, drückte den beiden die Köpfe auf den Boden und schrie immer wieder, seit ruhig seit ruhig. In ihrer Panik hatte Sie ganz vergessen, dass die Piloten der Militärflugzeuge die Kinder gar nicht hören können.
Die Flieger jagten mit lautem Motorengeräusch im Tiefflug vom letzten bis zum ersten Wagen über die Flüchtlingskolonne. Aber das Angriffsziel war ein anderes, die Flieger stiegen wieder auf, in einer bestimmten Höhe flogen sie dann weiter. In der Ferne hören die Flüchtlinge dann das Donnern der Bomben. Die Piloten hatten ihre gefährliche Fracht über einer Fabrik abgeworfen. Die Gefahr war vorbei. Meine Mutter beruhigte ihre drei Kinder und ging mit ihnen wieder zum Wagen zurück. Sie hatten den ersten Kontakt mit dem Krieg. Glück gehabt, sagten die Leute.

Die Flüchtlinge setzten sich wieder auf ihren Wagen, die

Fahrt geht weiter in Richtung ungarische Grenze. Nach zwei Tagen wurden die Donau und die ungarische Grenze erreicht. In dem Grenzort Bezdan übernachten die Flüchtlinge. Früh am nächsten Morgen zieht der Wagentreck weiter an die Donau, bis zu einer Stelle, wo ein übersetzen über die Donau möglich war. Da waren zwei Fähren, mit dem einfachen Gefährt wurden die Flüchtlinge mit Pferd und Wagen über die Donau geschifft. Das Übersetzen mit der Fähre war gefährlich. Es ist großer Andrang an der Fähre, auch Militärfahrzeuge wollen über den Fluss.

Die Pferde sind unruhig auf der Fähre und müssen gut festgehalten werden. Viele der Menschen konnten nicht schwimmen, und Mutter hat Angst um meine Geschwister.

Die Fähre bringt meine Familie gut über die Donau und legt an der anderen Seite am Ufer an.

Auch meine Tante mit Oma und Kinder sind mit der gleichen Fähre gut über den Fluss gekommen. Die Gespanne meiner Mutter und Tante reihen sich wieder in die Wagen Kolonne ein.

Andere Flüchtlinge sind mit der zweiten Fähre auf dem Fluss. Tieflieger, Tieflieger rufen die Menschen und versuchen in Deckung zu gehen.

Eine schwere Explosion erschreckt die Flüchtlinge. Die zweite Fähre ist voll getroffen, sie ging mit Mensch und Tiere in kürzester Zeit in der Donau unter. Alle sind umgekommen. Die Flüchtlinge am Ufer sind schockiert, Kinder und Frauen schreien vor Entsetzen.

Der Treckführer fordert die Flüchtlinge auf schnell weiter zu fahren, vielleicht kommen die Flugzeuge

noch mal zurück, um die zweite Fähre auch noch zu zerstören. Nach einer Weile ruft Oma von ihrem Wagen nach meiner Mutter, komm mal, deine Schwester bekommt das Kind, schreit Oma zu Mutter.
Nein sagte meine Tante ich habe Geburtswehen, als die Bombe explodierte, ist mir von der Druckwelle die Fruchtblase geplatzt. Ja, was machen wir jetzt sagte meine Mutter und Oma. Zwei deutsche Soldaten mit einem Jeep sind in der Nähe. Ihr müsst uns helfen rufen Oma und Mutter zu den Soldaten, und erklären ihnen die Notsituation. Die beiden Soldaten sind hilfsbereit, und sagen wir fahren die Frau in das nächste deutsche Lazarett, der Ort heißt Fünfkirchen. (Ungarisch: Pecs) Ihr kommt ja auch durch diesen Ort. Die zwei Soldaten helfen meiner Tante Anna auf den Jeep. Die legt sich schräg auf den Hintersitz, um den dicken Bauch zu entlasten. Die Soldaten starten den Motor von dem Jeep und fahren los. Tante Anna winkt noch ihren zurückgebliebenen Kindern. Mit einer Staubfahne hinter dem Jeep verschwinden die drei in Richtung Fünfkirchen. Das sind noch siebzig Kilometer bis Fünfkirchen sagt der Fahrer zu seinem Beifahrer. Die beiden schauen sich fragend an, was ist, wenn das Kind früher kommt, sagt der Fahrer, kennst du dich aus mit einer Geburt. Nein sagt der Beifahrer und schüttelt den Kopf. Durch die schlechte Straße wird auch die Tante kräftig durchgeschüttelt. Sie fängt an zu stöhnen. Was ist sagt der Beifahrer, und schaut ängstlich zurück. Ich habe Geburtswehen sagt die Tante. Fahr schneller sagt der Beifahrer aufgeregt zu dem Fahrer. Die holprige Fahrt geht weiter, die Wehen werden stärker und das Stöhnen meiner Tante wird immer lauter. Mutter gehts noch, Mutter gehts noch, fragen die beiden Soldaten immer wieder. Es ist nicht mehr weit sagt der Fahrer, und versucht meine Tante zu beruhigen. Aber die ist nur noch am stöhnen und

am schreien, die Geburt ist schon weit fortgeschritten. Der Fahrer fährt mit hoher Geschwindigkeit in den Ort Fünfkirchen und bleibt vor dem Lazarett stehen. Die zwei Männer springen von dem Jeep, und rufen, Sanitäter, Sanitäter, Männer kommen gelaufen, die beiden Soldaten sagen, schnell, schnell, die Frau bekommt ein Baby. Die Männer heben gemeinsam meine schreiende Tante von dem Fahrzeug, beim Ablegen auf den Boden, rutscht das Kind aus ihr. Schnell holen die Männer eine Bare und Tücher, legen meine Tante und das Neugeborene auf die Trage und bringen sie in das Lazarett. Beide werden da gut versorgt. Nach diesen Erlebnissen wurde meine Tante depressiv und hat für lange Zeit nur noch wenig Lebenswillen.

Weiter, weiter, ruft der Treckführer an der Fähre. In panischer Angst treiben sie die Pferde zu einer schnellen Gangart an. Schneller, schneller schreit der Treckführer immer wieder zu den Flüchtlingen, wir müssen hier weg, bevor die Tiefflieger zurückkommen, schreit er. Sie fahren Stunde um Stunde und machen nur mal eine kurze Rast. Die Angst vor den Tieffliegern treibt sie an. Spät in der Nacht kommen die Wagen in Fünfkirchen an.

Die zwei Soldaten warteten schon auf den Wagentreck und begrüßten meine Cousinen Marianna, Anna und Monika und grinsen über das ganze Gesicht.

Ihr habt ein Schwesterchen, und lachen, freuten sich, und sind ganz stolz auf ihre Heldentaten. Morgen früh bringen wir euch zu eurer Mutter und Schwesterchen.

Die Menschen und die Pferde sind erschöpft, viele der Kinder sind schon auf dem Wagen eingeschlafen.

Die erschöpften Menschen lagern in der Nacht mit ihren Pferdewagen in den Straßen von Fünfkirchen.

Am nächsten Morgen wie versprochen kamen die zwei Soldaten. Kommt wir bringen euch zu eurem Schwesterchen und Mutter. Die Oma Merkel und meine Cousinen gehen mit den Soldaten zu dem deutschen Lazarett.

Nach einer Zeit ruft der Dreckführer, Leute wir fahren weiter. Die Flüchtlinge setzen sich wieder auf ihre Wagen. Der Wagentreck setzt sich wieder in Bewegung. Die Oma ist mit meinen Cousinen noch nicht zurückgekommen, um ihre Sachen von ihrem Wagen zu holen. Meine Mutter vermutet, dass ihre Schwester mit den Kindern und der Oma mit einem Militärfahrzeug nachkommen würden.

In dem Lazarett sagt die Oma zu Marianna, wir müssen hier bei deiner Mutter bleiben, geh zum Wagen und hole unsere Sachen. Marianna geht los und kommt an den Platz, wo der Wagentreck gelagert hat, aber die Wagen waren alle verschwunden. Sie läuft einmal den Weg dann den Weg zum Bahnhof aber die Wagen sind nicht mehr zu sehen. Weinend geht sie den Weg zurück in das Lazarett zu ihrer Familie.

Die Wagenkolonne ist schon ein paar Tage unterwegs, immer wieder müssen sie längere Pausen einlegen. Die Zugtiere brauchten Ruhe und müssen sich erholen. Diese Ruhepausen nutzten die Flüchtlinge, wenn sie durch Ortschaften kommen zum Betteln. Meine Mutter und meine Geschwister sind immer hungrig und der Hunger lässt sie noch mehr frieren. Nur der kleinste meiner Brüder Erwin musste nicht hungern, der wurde von unserer Mutter immer noch gestillt. Der Kleine machte seiner Mutter und Michael viel Arbeit. Der eineinhalb Jahre alte Erwin macht jeden Tag in die Windeln. Dann muss er immer gut saubergemacht werden. Um Windeln zu sparen rupft Michael weiches Gras oder weiche Blätter, um den kleinen Bruder grob sauber zu machen. Der Rest wurde mit kaltem Wasser gereinigt.

Die Windeln sind immer zu wenig. In den Pausen, wenn die Möglichkeit besteht, muss meine Mutter auch Windel und Kleidung waschen. Die hängt sie dann an den Wagen, während der Fahrt können die Sachen dann trocknen.

Auch unser Proviant, den sie von Zuhause mitgenommen hatten, war verbraucht.

Meine Mutter sagte zu meinem zwölf Jahre alten Bruder Michael, du musst betteln gehen, wir haben nichts mehr zu essen. Du musst die Leute in dem kommenden Ort fragen, ob sie uns etwas zu essen geben. Michael fängt an zu weinen er schämt sich, so etwas hat er noch nie gemacht. Ich weiß sagt meine Mutter zu Michael das ist schlimm für dich. Nimm deinen Bruder Josef mit, dann bekommst du vielleicht etwas zu essen. Mutter nimmt meine Brüder in die Arme und sagt mit weinerlicher Stimme, Kinder es tut mir so leid, aber das Betteln hilft uns das wir nicht verhungern, wir müssen überleben. Michael weint nicht mehr, er ist sich seiner großen Verantwortung auf einmal bewusst. Im nächsten Ort, meine beiden Brüder Michael und Josef gingen los und gehen langsam zu einem Haus. Schüchtern geht Michael auf den Hof und stellten sich vor die Tür des Hauses. Eine Frau kam heraus, Michael hält die Hände auf und sagt, bitte um etwas zu essen, der kleine Josef stellt sich

halb hinter seinen großen Bruder und hält ebenfalls die Hände auf. Meine Brüder hatten Glück, die Frau hat Mitleid, sie gab ihnen ein Stück Speck und ein Stück Brot. Von da an ging mein Bruder Michael, immer wenn die Möglichkeit besteht betteln. Oft gibt es gar nichts zu essen, und Michael wird einfach verjagt, oder er bekommt nur ein Stück Brot. Immer wieder hat mein Bruder Michael für die Familie gesorgt. Immer wieder rafft sich mein Bruder auf, nahm die Demütigung auf sich und ging betteln. Die Bevölkerung von Ungarn hat uns immer wieder mit Nahrung geholfen, oft hatten sie selbst nicht viel. Die Flüchtlinge, die in Richtung Deutschland unterwegs sind, sind einfach zu viele.

Schlesien

Der Wagentreck ist schon drei Monate unterwegs, meine Mutter mit Ihren drei Kindern sitzt wie jeden Tag stundenlang auf dem Wagen. Es ist schon Herbst es regnet und ist schon sehr kalt. Meine Mutter nimmt alle Decken, Kleidung, alles, was warm hält, und deckt ihre Kinder damit zu. Sie sieht ihre apathischen abgemagerten, hungrigen und frierenden Kinder. Auch sie selbst ist stark abgemagert und schwach. Wie soll das weitergehen, denkt meine Mutter, sie haben nichts mehr zu essen, sie haben nicht mal mehr Tränen zum Weinen.
Es ist Oktober, November 1944. Nach drei Monaten und 1280 Kilometern kommt der Wagentreck mit den Flüchtlingen in Schlesien Riesengebirge an. Die Flüchtlinge lagern im Hirschberger-Tal. Die Verwaltung der Gemeinden hat beschlossen, dass die Flüchtlinge in der Umgebung in Häusern untergebracht werden.
Meine Familie hat mit anderen Flüchtlingen eine Unterkunft in dem Stonsdorfer Schloss zugewiesen bekommen. Der Besitzer ist ein deutscher Fürst. Heinrich von Waida, der Fromme wurde der Fürst genannt. Die Flüchtlinge werden in den Schlossgebäuden untergebracht. Meine Mutter mit den Kindern bekommt einen kleinen Raum zugewiesen. Mein Bruder Michael holt noch schnell die restlichen Sachen von dem Wagen und bringt diese in den zugewiesenen Wohnraum. In dem Raum sind keine Betten, nur ein Tisch mit vier Stühlen. Sie bekommen noch ein paar Matratzen, die mit Stroh gefüllt sind.
Die Matratzen legen sie nebeneinander, so dass ein

großes Bett entstand. Meine Mutter und Geschwister bekommen warmes Essen und zu Trinken. Auf der Flucht gab es nur kalte Nahrung was sie erbettelt haben. Meine Mutter und Geschwister erholen sich schnell und fühlen sich in dem Schloss sicher.
Es ist Anfang Dezember und das Jahr 1944. Ein deutscher Soldat kommt in das Schloss und fragt die Flüchtlinge, die sich auf dem Schlossgelände aufhalten. Ist hier eine Familie Konrad, ist hier eine Familie Konrad fragt er immer wieder?
Meine Mutter war auf einmal ganz aufgeregt, mit Freudentränen in den Augen, und schrie, Kinder euer Vater kommt, euer Vater kommt. Sie hatte die Stimme erkannt, es ist Ihr Mann und unser Vater. Große Freude bei meiner Mutter und meinen Geschwistern. Mein Vater und meine Mutter umarmten und küssten sich und sie weinten vor Glück. Die Kinder sind schüchtern, halten sich zurück, sie haben ihren Vater schon zwei Jahre nicht mehr gesehen. Erst nach einiger Zeit nahm der Vater den kleinen Erwin auf den Arm und umarmte auch mein Bruder Josef und Michael. Die Familie hat sich viel über Ihre Erlebnisse zu erzählen. Es ist Nacht geworden die Kinder sind auf Ihrem Lager eingeschlafen. Meine Eltern liegen nebeneinander, küssen und umarmen sich. Sie müssen sich ruhig verhalten, um die Kinder nicht zu wecken. Aber das Verlangen nach Liebe und Zärtlichkeit ist groß. Der Atem geht schwer, sie lieben sich.
Alles Elend war von meiner Familie für eine Zeit vergessen. In diesen glücklichen Tagen wurde meine Mutter mit mir schwanger. Meine Mutter sagt zu meinem Vater, du kannst doch einfach bei uns bleiben bei deiner Familie. Nach kurzer Überlegung sagt mein Vater, das wäre Fahnenflucht, dann werde ich

erschossen. Mein Vater glaubte immer noch an den Sieg der deutschen Wehrmacht. Er beruhigte meine Mutter und die Kinder. Hier seid Ihr sicher sagte er, und versucht Mutter die Kinder und sich selbst zu beruhigen.

Nach ein paar Tagen Hoffnung und Glück musste mein Vater im Dezember zwei Wochen vor Weihnachten seine Familie, Mutter und die drei Kinder, wieder ihrem Schicksal überlassen und in der schlimmen Zeit alleine lassen. Tiefer Trennungsschmerz und Hass auf den Krieg, bei meiner Mutter und Vater. Er umarmte meine Mutter und meine Geschwister und alle weinten.

Mit Kraft drückte mein Vater meine Mutter und seine Kinder von sich und ging von Ihnen. Michael ist sehr betroffen, er muss jetzt wieder die ganze Last der Verantwortung tragen.

Meine Mutter ruft flehend und weinend seinen Namen, Sepp bleib hier, Sepp bleib hier, Papa lass uns nicht allein, rufen Michael und Josef immer wieder mit ängstlicher Stimme. Mutter und meine Geschwister strecken noch die Arme nach ihm aus, als wollten Sie Vater festhalten. Der Abschied ist schwer. Der Vater musste wieder an die Front. Ob es ein Abschied für immer ist?

Zwei Wochen später. Es ist der vierundzwanzigste Dezember, Heiliger Abend. Draußen ist es sehr kalt und es hat viel geschneit im Riesengebirge. Die Flüchtlinge versammeln sich am Nachmittag im Schloss in einem Raum. Sie wollen den Heiligen Abend gemeinsam feiern. Die Flüchtlinge beten und danken Gott, dass sie die lange und schwere Flucht überlebt haben. Meine Mutter schenkte jedem ihrer Kinder einen Apfel zu Weihnachten. Meine Geschwister freuen sich über den Apfel, sie hatten mit keinem Geschenk gerechnet.

Meine Mutter hatte die Äpfel nach und nach für den Heiligen Abend angespart.

Die Flüchtlinge singen Weihnachtslieder, stille Nacht heilige Nacht und beten den Rosenkranz bis spät in die Nacht.

In der noch friedlichen Umgebung konnte meine Mutter und Geschwister den Winter gut überleben. Sie hatten ein Dach über dem Kopf, und ein Ofen wärmte meine Familie. Es ist Frühjahr 1945 die Lebensmittel werden wieder knapp. Es ist im Riesengebirge noch kalt und draußen hat es wieder geschneit. Meine Geschwister hatten keine gute Winterkleidung. Michael und Josef müssen nach draußen in die Kälte, sie wickeln sich zusätzlich Stofflappen um die Füße und schlupfen in die kaputten Schuhe. Meine Brüder müssen wieder betteln gehen. Das Betteln ist für Sie nicht mehr so demütigend, Sie haben sich schon ein bisschen daran gewöhnt. Die Notwendigkeit des Bettelns ist auch dem kleinen Josef schon bewusst. Sie stehen im tiefen Schnee vor den Häusern und frieren, halten die Hände auf und warten, bis jemand erbarmen hat, und ihnen eine Kleinigkeit zu essen gibt. Stolz bringen die Brüder die Sachen dann der Mutter.

Es ist mittlerweile April, meine Mutter weiß, dass sie wieder schwanger ist.

Schon wieder schwanger und immer noch kein Zuhause. Sie sieht wie Ihre Kinder immer mehr abmagern. Der Hunger und die Sorgen haben ihre Spuren in den Gesichtern meiner Mutter und meinen Geschwistern hinterlassen.

Der Deutsche Fürst und sein Personal fangen an zu packen. Die Flüchtlinge fragen was ist los, warum packt Ihr. Die Russen kommen wir müssen alle hier weg, ist ihre Antwort. Die Flüchtlinge sind erstarrt vor Schreck, was sagten sie, wieder flüchten. Sie konnten und wollten das kaum Glauben. Meine Mutter und meine Geschwister haben sich in dem Schloss so sicher gefühlt.

Ihr müsst euch am Bahnhof sammeln, da wird für euch ein Zug zusammengestellt, sagte der Fürst. Wieder Angst und Panik unter den Flüchtlingen. Schnell packen Mutter und Michael ihre Habseligkeiten und sind für den Abmarsch bereit.

Die deutsche Wehrmacht kann die russische Übermacht nicht mehr aufhalten.

Die Russen sind auf dem Vormarsch, die schweren Explosionen von Granaten und Bomben konnte man wieder hören, die Front ist nicht mehr weit.

Den Weg vom Schloss zu dem Bahnhof müssen die Flüchtlinge zu Fuß gehen. Der Weg ist nicht so weit.

Es wurde für die Flüchtlinge ein Zug mit Güterwagen zur Verfügung gestellt. Die Güterwagen haben große Schiebetüren und Platz für zwanzig bis dreißig Personen. In die Wagen wurde Stroh eingebracht, so dass die Flüchtlinge sich ein Lager für die lange Fahrt herrichten konnten. Der Zug soll die Menschen ins Sudetenland (Tschechoslowakei) bringen, wo viele Deutsche lebten.

Meine Mutter mit meinen Geschwistern hat sich eine Ecke in dem Wagon ausgesucht. Sie legen sich auf das Stroh und Kuscheln unter den Decken eng zusammen und halten sich gegenseitig warm. Der Zug fährt und rattert die ganze Nacht. Der Zug muss nachts fahren wegen der russischen Kampfflieger sagte ein Mann in dem Wagon.

Immer wieder fährt der Zug langsam oder hält an, um die Gleise zu kontrollieren, ob diese nicht beschädigt sind.

Sudetenland

Am Vormittag kommt der Zug mit den Flüchtlingen im Rosenthal Sudetenland an.
Der Zug hält an, alles aussteigen ruft ein Mann und schiebt die Türen auf, alles aussteigen sagte er nochmals in den Wagon. Meine Mutter und meine Geschwister stehen von ihrem Lager auf, und schütteln das Stroh von ihrer Kleidung.
Versammelt euch alle auf dem Bahnsteig und wartet dort, sagte ein Mann.
Als sie alle auf dem Bahnsteig versammelt sind, werden Lebensmittel Karten verteilt.
Als meine Mutter mit ihren Kindern am Bahnhof steht und auf weitere Anweisung wartet.
Da kommt ein Zug mit Soldaten eingefahren. Das sind russische Soldaten sagte meine Mutter zu meinen Brüdern, sie bekommt Angst und gingen schnell ein paar Schritte zurück.
Die Soldaten sitzen auf offenen Wagons. Der Zug hält am Bahnsteig an. Nach einer gewissen Zeit kommen drei Soldaten und gehen mit einem großen Kochbehälter zu den Wagons. Die Soldaten bekommen Essen in ihr Kochgeschirr. Ein junger russischer Soldat, der auf dem offenen Güterwagen sitzt, sah meine Mutter mit Ihren drei abgemagerten Kindern. Da winkte der Soldat mit dem Kochgeschirr in der Hand nach meiner Mutter, sie soll zu ihm kommen. Meine Mutter schüttelte ihren Kopf, sie fürchtet sich, sie hat schreckliche Sachen über russische Soldaten gehört. Der Soldat winkt nochmal meiner Mutter. Vorsichtig und ängstlich geht meine Mutter zu dem Soldaten.
Der junge Mann schaut meine Mutter

freundlich an und sagt auf Russisch nimm das, er gab sein Kochgeschirr mit dem warmen Essen meiner Mutter. Ungläubig nimmt meine Mutter das Essen.

Vielen Dank, sagte meine Mutter, Gott beschütze dich, fügte sie hinzu. Der russische Soldat kann nicht die deutsche Sprache, er nickte meiner Mutter zu, er hat die Dankbarkeit in ihren Augen gesehen. Schnell ging meine Mutter zu ihren Kindern zurück. Schaut mal, was ich hier habe, Linsen Suppe mit Speck sagte sie. Michael und Josef läuft das Wasser im Mund zusammen, so duftet das Essen. Mutter verteilt den größten Teil der warmen Suppe an ihre hungrigen Kinder. Die hätten gerne noch mehr gegessen. Wieder wurde der Hunger ein wenig gestillt.

Ihr bekommt jetzt alle eine Unterkunft und Lebensmittelkarten zugeteilt, ruft ein verantwortlicher Beamter zu den Flüchtlingen.

Meine Mutter mit meinen Geschwistern haben in einem Haus zwei Räume zugeteilt bekommen.

Der eine Raum hatte eine Kochstelle, und in dem anderen Raum sind Matratzen zum Schlafen am Boden.

Kommt sagt meine Mutter zu ihren Kindern, wir müssen das Haus finden, wo wir die Karten gegen Lebensmittel eintauschen können.

Sie gingen durch den Ort und sehen ein Haus, wo die Leute in Schlange anstehen.

Das muss das Haus sein sagte meine Mutter. Sie geht mit meinen Geschwistern auf die Leute zu. Da ist ja die Tante Anna mit den Kindern sagte Michael, das gibt es ja nicht wo kommen die denn her, sagte meine Mutter überrascht. Zur gleichen Zeit sehn uns auch die Familie Milli. Die Kinder laufen stürmisch aufeinander zu und umarmten sich. Auch meine Mutter und Ihre

Schwester Anna und ihre Mutter umarmen sich und weinen vor Freude. Es gibt viel zu erzählen, meine Mutter erzählt, dass sie den Winter in einem Schloss im Riesengebirge verbracht haben, und dass sie ihren Mann Josef wieder getroffen hat, und auch wieder schwanger ist.
Die beiden Schwestern lösen die Lebensmittelkarten gegen Nahrungsmittel ein. Danach sagt meine Tante wir sollen mit in das Haus gehen, wo sie wohnen. Meine Tante bleibt vor einem schönen Haus stehen und sagt, da wohnen wir. Wir gehen in das Haus und stauen, so viel Sauberkeit. Die Möbel in weißem Schleiflack sind am leuchten. Die Betten sind weiß bezogen. Das ist eine Villa sagt meine Tante. In dem Haus wohnen auch noch zwei elegante Frauen. Die beiden Frauen unterstützen die Familie Milli so oft sie können. Die älteste Tochter von Tante Anna, Marianna ist inzwischen schon sechzehn und war mit der kleinen Emma im Haus geblieben. Sie geht überhaupt nicht aus dem Haus sagte sie. Marianna hat gesehen, wie russische Soldaten eine Frau auf offener Straße vergewaltigten, die kleinen Kinder der Frau standen daneben und weinten, und schrien vor Angst um ihre Mutter. Die Russen kommen immer wieder durch die Straßen und dringen in die Häuser ein, und vergewaltigen die Frauen, sagt meine Tante.
Für die Sechzehnjährige hübsche Marianna haben die zwei Damen auf dem Speicher ein Versteck hergerichtet. Das ist eine kleine Kammer auf dem Speicher mit einer kleinen Tür und ein Kleiderschrank steht halb weggerückt vor der Tür. Immer wieder schauen ihre Mutter oder die Geschwister aus dem Fenster, ob russische Solldaten durch die Straße kommen. Kommen Soldaten durch die Straße,

dann verschwindet die hübsche Marianna in dem Versteck, und die Geschwister Oma und Mutter schieben den Kleiderschrank vor die Tür. Marianna bleibt dann so lange in dem Versteck, bis die Soldaten verschwunden sind.

Meine Tante und meine Cousinen erzählen von ihrer Flucht, und was sie alles erlebt haben, dass die kleine Emma in Fünfkirchen (Pecs) Ungarn im Deutschen Lazarett geboren wurde. Marianna versuchte nochmal den Wagentreck einzuholen. Auf dem Wagen war die ganze Baby Ausrüstung, die sie dringend gebraucht hätten. Die Familie Milli mit Oma und meinen Cousinen bekommen in dem Ort Fünfkirchen eine Unterkunft in einem großen leeren Bauernhaus. Sie gehen durch das Haus und kommen in einen Raum. Da bekommen sie große Augen, der Raum ist voll mit Lebensmitteln und Kleidung, alles was man sich nur denken kann. Sie kamen sich vor wie im Schlaraffenland. Unsere Oma mit meinen drei Cousinen richtet sich in einem Raum eine Wohnung so gut es geht ein.

Die Tante konnte mit ihrem Neugeborenen, sie nannten sie Emma, drei Tage in dem Lazarett bleiben, anschließend kam sie mit der Neugeborenen Emma auch in das Bauernhaus. Da durften sie vorerst mal bleiben. Nach zwei Wochen kam ein deutscher Offizier, und sagt morgen fahrt ihr mit anderen Flüchtlingen nach Deutschland. Geht morgen früh zum Bahnhof und wartet auf Anweisung. Am anderen Morgen sind wir schon früh aufgestanden sagte meine Tante.

Dann wurde in dem Ort Fünfkirchen Ungarn ein Zug zusammengestellt mit Güterwagen. Die Flüchtlinge steigen ein und die Fahrt geht nach Neunkirchen Österreich und Deutschland, bis nach Norddeutschland, und das verrückte dabei ist, der Ort heißt auch

wieder Neunkirchen, sagten meine Cousinen zu meiner Mutter und Geschwistern.
Da blieben sie über Winter in einem Lager. Im Frühjahr heißt es von den Behörden ihr müsst wieder zurück, wo ihr hergekommen seid. Auch in der Stammheimat Deutschland sind die vielen Flüchtlinge nicht gerne gesehen. Wieder mussten die Flüchtlinge meine Tante mit den vier Töchtern und mit der Oma in die Viehwagen einsteigen. Die Fahrt geht über Meißen Richtung Dresden. Bei Dresden wird der Güterzug mit den Flüchtlingen auf ein Nebengleis abgestellt. Meine Tante mit ihrer Familie erleben die Nacht als Dresden durch die Bomben zerstört wird. Nach ein paar Tagen geht die Fahrt weiter Richtung Sudetenland. Immer wieder bleibt der Zug an Bahnhöfen stehen. Die Lokomotiven wurden dann abgehängt und die Wagen mit den Flüchtlingen bleiben auf einem Nebengleis für ein paar Tage stehen. Bis eine neue Lokomotive wieder angehängt wurde, und dann geht die Fahrt wieder weiter. Wieder stehen sie schon ein paar Tage in einem Bahnhof auf einem Abstellgleis. Auf einem anderen Gleis steht ein Güterwagon mit deutschen Kriegsgefangenen, der von russischen Soldaten bewacht wurde. Marianna greift sich die verbeulte zwei Liter Aluminium Milchkanne und geht auf Wassersuche. Sie geht an dem Güterzug mit den deutschen Kriegsgefangenen entlang. Ein deutscher Soldat schaut aus dem Fenster und sagt, Mädel wo kommst du her. Aus Karavukovo antwortet Marianna, ach Gott sagt der Soldat, ich komme aus dem Nachbarort. Wenn du zurückkommst, lasse ich ein Zettel fallen, den gib bitte meiner Familie und sage ich komme in

russische Gefangenschaft. Marianna hat ein Brunnen gefunden, füllt die Milchkanne mit Wasser und geht wieder zurück. Als sie an dem Wagon vorbei kommt, lässt der Mann ein Zettel fallen. Ein russischer Soldat, der den Verpflegungswagen bewachte, beobachte den Vorgang. Er springt von seinem Wagen läuft auf Marianna zu, und schreit Spionage, Spionage. Er packt sie an ihrem Oberarm und zieht sie mit sich. Der Soldat versucht Marianna in seinen Wagon zu zerren. Marianna schreit und schreit und hat Todesangst. Mit aller Kraft riss sie sich los und versuchte wegzulaufen. Der Soldat schießt zweimal. Marianna bleibt vor Schreck stehen. Mit aufgepflanztem Bajonett kommt der Soldat und schiebt Marianna vor sich her und schimpft auf Russisch. Marianna kann nur Spionage und Kommandant verstehen. Durch die Schreie und Schüsse war große Aufregung bei den Flüchtlingen. Sie kommen alle aus den Wagons und reden aufgeregt miteinander. Sie vermuten das Marianna sich mit den russischen Soldaten abgibt. Der Soldat führt Marianna als seine Gefangene vor sich her. Sie gehen bis zu dem ersten Wagon, in dem der Kommandant ist. Eine russische Frau in Uniform nimmt Marianna in den Arm und sagt keine Angst, keine Angst. Sie macht ihr ein Butterbrot und sie darf sich setzen. Der Soldat geht zu dem Kommandant gibt dem den Zettel und sagt immer wieder Spionage, Spionage. Der Kommandant gibt dem Soldat den Befehl den Dolmetscher zu holen. Der kommt und liest dem Kommandant vor. Liebe Frau ich komme in russische Gefangenschaft. Der Kommandant nimmt den Zettel aus der Hand des Dolmetschers schaut Marianna an und sagt, tu das nie wieder. Dann kniete er sich vor Marianna auf den Boden zog ihr den Schuh aus legte den Zettel in den Schuh, und zieht ihr den Schuh wieder an. Er steht auf und sagt zu Marianna mit erhobenem Zeigefinger, du musst den unbedingt abgeben. Du darfst jetzt gehen sagt der Kommandant. Marianna geht den gleichen Weg zwischen den Gleisen zurück. Die Flüchtlinge fangen an zu schreien du Hure du Verräterin jetzt wissen wir, wer nachts den Russen alles verrät. Die Flüchtlinge fangen an mit Schottersteinen von den Gleisen nach ihr zu werfen. Marianna fängt an zu laufen. Immer mehr Steine kommen geflogen. Mehrere Steine trafen sie am Körper und am Kopf. Ihr wird schwarz vor den Augen und sie fällt zu Boden. Als sie wieder zu sich kommt, hilft ihr eine ältere Frau auf die Beine und stützt sie beim Gehen. Die aufgeregten und wütenden Flüchtlinge haben sie regelrecht gesteinigt. Die Frau bringt Marianna zu ihrem Wagon und hilft ihr in den Wagen. Sie versteckt Marianna unter einer Bank und setzt sich mit ihren weiten Röcken über sie, so dass man Marianna nicht mehr sehen kann. Nach ein paar Tagen wird wieder eine Lokomotive angehängt und die Fahrt geht weiter.

Und jetzt sind wir hier im Rosenthal-Sudetenland sagte meine Tante Anna.

Die beiden Familien sehen sich jetzt jeden Tag und sie wollen auch nicht mehr getrennt werden. Es ist Mai 1945 der Krieg ist aus, und alle haben wieder Hoffnung, es kann ja nur noch besser werden.

Zwei Wochen sind sie jetzt in dem Ort. Meine Mutter und meine Geschwister besuchen wieder mal die Familie Millie in dem schönen Haus.

Zwei russische Solldaten kommen die Straße runter, klopfen an die Tür. Meine Tante und meine Oma sind sehr aufgeregt, jetzt haben sie Marianna entdeckt befürchten sie. Marianna verschwinde schnell in deinem Versteck, sagte meine Tante und meine Oma. Alle drei laufen nach oben, Marianna schlüpft durch die kleine Tür in ihren Verschlag. Die Tante und die Oma schieben schnell den Kleiderschrank vor die Tür.

Meine Tante und die Oma gehen schnell wieder in das große gemeinsame Wohnzimmer und verhalten sich ganz ruhig.

Die Hausherrin geht zur Tür und wollte fragen, was sie wollen. Die beiden russischen Soldaten schieben einfach die Frau auf die Seite und fragen, wo sind die Jugoslawen?

Oben sagte die Frau. Die beiden Soldaten gehen die Treppe nach oben und stoßen die Tür auf. Alle sind sehr ängstlich und aufgeregt.

Die russischen Soldaten einer ist ein Offizier, sagen in gebrochenem Deutsch. Morgen früh Bahnhof, wieder zurück nach Jugoslawien. Tito muss euch wieder nehmen.

Tito ist der jugoslawische Staatspräsident. Schon wieder werden sie vertrieben. Aber das heißt doch, beide Familien können wieder nach Hause Jugoslawien Karawukovo in die Heimat. Schon machen sich beide Familien Gedanken und sagen, werden unsere Häuser noch stehen, oder sind sie von den Bomben zerstört? Ist noch alles so wie sie es verlassen haben?

Meine Mutter und meine Geschwister gehen schnell in ihre Unterkunft, packen ihre wenigen Sachen und gehen früh schlafen. Sie liegen auf ihrem Strohsack, Michael und Mutter reden noch ein wenig, was sie zu Hause alles machen wollen.

Ungarn

Am nächsten Morgen stehen sie früh auf. Meine Mutter nimmt meinen kleinen Bruder Erwin auf ihren Arm. Mein Bruder Michael nimmt wieder das geschnürte Bündel, mein sechs Jahre alter Bruder Josef nimmt auch ein kleines Bündel. So gehen sie zum Bahnhof.
Beide Familien treffen sich am Bahnhof und bleiben eng zusammen, so dass sie in einen Wagon kommen, und nicht mit anderen Flüchtlingen auf andere Wagons verteilt werden. Gerne steigen die Familien dieses Mal in den Viehwagon. In zwei Tagen können wir Zuhause sein, im eigenen Haus und im eigenen Bett schlafen sagte meine Mutter zu ihrer Schwester.
Mutter mit ihren drei Söhnen, und meine Tante mit ihren vier Töchtern und der Oma, machen sich in dem Wagon ein Strohlager. Für die acht Monate alte Emma wird ein extra weiches Nest mit viel Stroh hergerichtet. Der Zug nimmt Fahrt auf in Richtung Ungarn. An der ungarischen Grenze wird die Lokomotive ausgewechselt. Immer wieder bleibt der Zug mit den Flüchtlingen an irgendwelchen Bahnhöfen stehen und verzögert die Weiterfahrt. Die Fahrt geht weiter nach Budapest, hier ist ein längerer Aufenthalt am Bahnhof. Gerüchte kommen unter den Flüchtlingen auf. Tito der jugoslawische Staatspräsident lässt die deutschen Flüchtlinge nicht mehr über die Grenze zurück. Die Fahrt geht weiter durch das ungarische Land bis zu dem Ort Tompa-Kelebia. Das ist der Grenzort nach Jugoslawien. Der Zug bleibt in dem Bahnhof stehen die Menschen steigen aus dem Zug, und versammeln sich auf dem Bahnhofsgelände. Die Menschen bewegen sich in Richtung jugoslawische

Grenze. Die ersten kommen an die Grenze und glauben sie können einfach über die Grenze gehen. Aber die Deutschen hatten den Krieg angefangen und verloren. Sie haben schlimme Sachen gemacht, auch in Jugoslawien. Die jugoslawischen Grenzsoldaten haben den Befehl die Grenze für die deutschen Flüchtlinge zu sperren. Die Gerüchte haben sich bewahrheitet. Das konnte und wollten die Flüchtlinge nicht glauben. Sie wollten nur in ihre Heimat und in ihre Häuser zurück. Die Flüchtlinge sind sehr wütend und erregt und drängen sich durch die Grenzsoldaten. Da kommen jugoslawische Soldaten auf Pferden angeritten. Sie reiten in die Menschenmenge und schlagen auf die Flüchtlinge ein, stoßen mit den Gewehrkolben nach den schreienden Menschen. Die Soldaten treiben die schreienden und weinenden Menschen vor sich her. Im Laufschritt werden die abgemagerten und schwachen Frauen, Kinder und ältere Männer wieder zurück nach Ungarn vertrieben.

Meine Mutter und meine Tante mit ihren Kindern sind zum Glück ganz hinten in den wütenden und schreienden Menschen zurückgeblieben, noch auf der ungarischen Seite. Die vertriebenen Flüchtlinge sammeln sich wieder auf dem Bahnhofsgelände. Auch meine Mutter mit meinen Geschwistern und meine Tante Anna mit Kindern und Oma sitzen am Bahnhof schauen sich an und weinen. Die Enttäuschung ist sehr groß, und sie wissen nicht, wie es weitergehen soll. Ungarische Behörden und Hilfsorganisationen versuchen den Vertriebenen zu helfen. Sie geben ihnen etwas zu essen und versprechen sie irgendwie unterzubringen. Viele der Flüchtlinge kommen auf Bauernhöfen oder bei Familien unter. Meine Mutter, schwanger und drei Kinder und meine Tante Anna mit vier Kindern wollte keiner eine Unterkunft geben.

Stall in Ungarn

Es gibt noch ein Stall, sagte ein Mann. Der Bauer hat seine Kühe auf die Weiden gebracht, da könnt ihr für eine Weile bleiben, bis wir was Besseres finden.
Meiner Mutter und meiner Tante bleibt nichts anderes übrig, sie nehmen das Angebot an.
Der Mann führte die beiden Familien und noch andere Flüchtlinge zu dem Stall. Der Bauer kommt aus dem Haus, er wusste über seine Gäste schon Bescheid, und zeigt den Familien den Stall. In gebrochenem Deutsch sagte er, hier ist Stroh und Heu damit könnt ihr euch ein weiches Bett machen. Der Bauer zeigt meiner Mutter und meiner Tante einen Brunnen, wo sie Wasser holen können. Mit erhobenem Zeigefinger sagt er, kein Feuer machen im Stall.
Meine Brüder Michael zwölf, mein Bruder Josef sechs, und der kleine Erwin mit seinen zwei Jahren, alle helfen sie, mit dem Stroh und Heu ein weiches Lager zu schaffen. Auch die Töchter meiner Tante, unsere Oma, Cousinen Marianna, Anna, und Monika, schaffen sich auch ein weiches Lager. Meiner Tante sitzt teilnahmslos am Boden, hält die kleine Emma auf dem Schoß, und schaut nur zu. Sie kann und will das nicht mehr begreifen, warum das Schicksal sie so bestraft. Die kleine Tochter Emma ist sehr abgemagert hat ganz dünne Arme und Beine, und der Bauch ist dick angeschwollen. Meine Tante kann ihre acht Monate alte Tochter nicht mehr stillen, sie hat keine Milch, es kommt nur noch Blut aus ihrer Brust, wenn sie versucht die Kleine zu stillen.
Meine Cousinen Marianna, Anna und mein Bruder Michael und Josef gehen fast jeden Tag gemeinsam in die

Dörfer um Nahrungsmittel zu betteln, auch andere Flüchtlingskinder gehen mit. Sie gehen in den Ort. Du gehst diese Straße und du gehst diese Straße betteln, sagte Marianna als älteste, zu den Kindern, und nachher treffen wir uns wieder hier an dem gleichen Platz vor dem Dorf. Bitte um was zu essen, bitte um was zu essen, so gingen die Kinder durch die Straßen und von Haus zu Haus, bis sie genügend erbettelt haben. Dann sammeln sie sich wieder an dem Platz, wo sie sich getrennt haben. Die Kinder sind neugierig, was hast du bekommen, und was hast du bekommen sagten die Kinder, jeder machte sein Tuch auf, in dem er seine erbettelten Sachen eingebunden hat. Der, der am meisten bekommen hat, der hat gewonnen. Oft tauschen sie auch die Lebensmittel mit anderen Kindern. Mehl gegen Brot. Eier gegen Butter. Speck gegen Wurst.

Gemeinsam gehen sie dann wieder zurück in ihren Stall zu den Eltern.

Über drei Monate lebten meine Familie und meine Tante mit ihren Kindern schon in dem Stall.

Marianna lernt einen jungen Ungarn kennen der ist im gleichen Alter wie sie. Sie haben sich ein bisschen verliebt und sehen sich jetzt öfter. Marianna geht mit dem Jungen zu seinen Eltern, die haben einen Bauernhof. Um die Mittagszeit sagt die Mutter auf Ungarisch zu ihrem Sohn; geht und bringt den Leuten auf dem Feld das Mittagessen. Die beiden nehmen das Essen und gehen damit auf das Feld, wo die Menschen arbeiten. Die freuen sich auf das Essen und die Mittagspause. Marianna und der junge Ungar helfen bei der schweren Feldarbeit bis zum Abend. Gemeinsam gehen sie mit den Feldarbeitern zurück zum Bauernhof. Gemeinsam Essen sie Abendbrot. Es ist spät geworden, und die Mutter von dem

jungen Mann bietet Marianna an, heute Nacht bei ihnen zu übernachten. Die Frau zeigt Marianna wo sie schlafen soll. Das ist ein Raum mit zwei getrennten Betten. In dem einen Bett schläft die Bäuerin und in dem anderen soll sie schlafen. Marianna nickt zu der Frau, sie ist einverstanden. Marianna zieht sich aus und geht in das zugewiesene Bett. Auch die Bäuerin geht kurz danach in das andere Bett. Marianna denkt noch über den schönen Tag nach, und schläft fest ein. Am frühen Morgen um vier Uhr steht die Bäuerin schon auf, sie muss den Brotteig anrühren und Brot für das Frühstück backen. Marianna schläft tief und fest. Eine Hand streicht ihr die nackten Beine hoch, sie wird wach, springt auf läuft aus der Tür zur Bäuerin, die nimmt die weinende Marianna in den Arm streicht ihr über die Haare, und weint auch. Der Bauer geht wortlos aus dem Haus. Marianna zieht sich eilig an, und läuft schnell nach Hause in den Stall zu ihrer Familie zurück. Sie geht nicht mehr zu dem Bauernhaus und trifft sich auch nicht mehr mit dem Sohn der Familie.
Meine Mutter ist hoch schwanger, die Geburtswehen bei meiner Mutter sind schon regelmäßig. Mutter hatte sich schon mit ihrer Cousine abgesprochen, dass sie ihr bei der Geburt helfen soll. Meine Oma sagte zu meinem Bruder Michael, geh und hol schnell die Tante. Michael wusste nicht, um was es geht, er holt die Tante, musste aber selbst vor dem Stall bleiben, auch die andern Flüchtlinge halten sich vor dem Stall auf. Für die Kinder passiert etwas geheimnisvolles, die Erwachsenen verhalten sich ausweichend, und sagen nicht, was im Stall passiert. Michael hört Mutter vor Schmerzen wimmern, er will ihr helfen und geht zur Stalltür, aber die Anderen lassen ihn nicht rein.

Die Zeit der Geburt kam und ich wurde in Tompa am 9.9.1945 in dem Stall auf dem Strohlager geboren. Hebamme machte die Cousine meiner Mutter, und Oma. Die beiden Frauen wickelten mich in Windel und richteten in der Futtergrippe der Kühe ein Bettchen für mich.

Dann gingen meine Oma, die Tante und die Hebamme und machten die Stalltür auf, und gingen nach draußen und sagten zu meinen Brüdern. Kinder ihr habt ein Brüderchen, kommt ihr könnt es jetzt ansehen.

Meine Brüder, meine Cousinen und meine Tante Anna gehen langsam und leise in den Stall zur Futtergrippe. Alle wollen das neugeborene Baby sehen. Michael nimmt den zweieinhalb Jahre alten Bruder Erwin auf den Arm so dass er mich, den kleinen Bruder sehen kann. Ich liege in der Futtergrippe höre Stimmen, und versuche mehrmals die Augen zu öffnen, aber das grelle Licht blendet mich, ich bin das helle Licht nicht gewohnt.

Jetzt hast du vier Töchter und ich habe vier Söhne, sagte meine Mutter zu ihrer Schwester Anna.

Meine Oma geht am nächsten Tag auf das Rathaus in Tompa und meldet mich als Neugeborenen an. Wie soll das Kind heißen? fragt der Beamte. Stefan sagt meine Oma und wie ist der Nachname?, sagt der Beamte. Konrad sagte meine Oma. Der Beamte schreibt die Geburtsurkunde, und als er fertig ist, liest er die Geburtsurkunde noch einmal für meine Oma vor. Stefan Konrad geboren am 09.09 1945 in Tompa Ungarn. Ja, sagt meine Oma zustimmend. Den Vornamen Stefan hat meine Mutter nach einem Onkel ausgesucht, den nannten sie den großen Stefan, meine Geschwister sind mit dem Namen einverstanden.

Meine Mutter stillte mich regelmäßig und hatte auch sehr viel Milch, auch mein Bruder Erwin wollte und durfte auch immer wieder mal an der Brust trinken. Vielleicht war mein Bruder auch ein bisschen eifersüchtig auf mich.
Es ist Mitte Oktober, fünf Monate leben wir schon in dem Stall.
Der Bauer, der Besitzer von dem Stall und Leute von der Behörde Tompa kommen zu uns, und sagen in gebrochenem Deutsch. Wir haben eine bessere Unterkunft für euch gefunden. Hier könnt ihr über Winter nicht bleiben. Der Bauer braucht den Stall für seine Tiere, sagte der ungarische Beamte. Übermorgen könnt ihr schon in die neue Unterkunft. Der Bauer machte uns verständlich, dass er uns mit Pferd und Wagen helfen will.

Redl Schloss

Nach ein paar Tagen kommt der Bauer mit dem Wagen. Meine Mutter und meine Tante und die anderen Flüchtlinge fangen an zu packen, viel haben sie ja nicht. Michael legt eine Decke auf den Boden nimmt die restlichen Sachen wie Kleidung, Windeln und Kleingram und legt diese in die Mitte der Decke. Dann nimmt er die vier Ecken der Decke hoch und bindet sie zusammen, so dass es ein festes Bündel ist. Michael hatte schon Erfahrung, wie man so ein Bündel schnürt. Ich bin jetzt fünf Wochen alt, meine Mutter schnürte mich auch zu einem warmen Bündel. Am Vormittag kommt dann der Bauer mit einem Wagen und zwei Pferde sind eingespannt. Michael nimmt unseren Bündel und packt ihn auf den Wagen. Dann hilft er seinen Cousinen Marianna und Anna die Bündel auf den Wagen zu packen. Danach steigt meine Mutter mit mir auf den Wagen, Michael packt den kleinen Erwin unter die Arme, und hebt ihn ebenfalls auf den Wagen, Josef mit seinen sechs Jahren versucht schon alleine auf den Wagen zu kommen, Michael hilft auch ihm noch ein bisschen. Dann steigen unsere Oma und meine Tante auf den Wagen. Meine Cousine Marianna reicht ihrer Mutter die kleine und schwache Emma auf den Wagen. Auch meine Cousine Monika, erst zweieinhalb Jahre alt wird auf den Wagen gehoben.

Der Bauer bleibt solange bei den Pferden damit diese ruhig stehen bleiben, bis jeder einen Platz auf dem Wagen hat. Der Bauer gibt uns ein Zeichen, dass er jetzt losfährt. Der Weg kann nicht so weit sein, denn der Bauer geht zu Fuß neben seinen Pferden.

Nach einiger Zeit bleibt der Bauer mit dem Pferdewagen vor einem kleinen Schloss stehen und gibt uns zu verstehen, dass wir da wohnen sollen. Die beiden Familien schauen sich erstaunt an. Das ist ja ein Schloss, sagte meine Mutter mit einem Lächeln im Gesicht. Mutter und meine Tante mit ihren Kindern steigen vom Wagen. Mein Bruder Michael und meine Cousinen Marianna und Anna laden gemeinsam die Habseligkeiten vom Wagen. Sie nehmen die geschnürten Bündel hoch und gehen eilig und neugierig in das Schloss. Die drei lassen ihre Sachen fallen und gehen los, um das Schloss zu durchsuchen. Sie sind enttäuscht, alle Räume sind total leergeräumt, keine Möbel, keine warmen Betten, keine Bilder an den Wänden nicht einmal Nägel von den Bildern haben die Besitzer zurückgelassen.

Die drei Abenteurer gehen traurig zurück zu ihren Eltern und schildern denen den Zustand des Schlosses. Die Eltern waren inzwischen auch in das Schloss gekommen. Gemeinsam beraten die Familien, in welchem Raum sie bleiben wollen. Sie haben sich dann für einen Saal mit einem Kamin entschieden. Michael, seine Cousinen Anna, und Marianna sagen fast gleichzeitig, wir haben ein Schuppen mit Stroh gesehen.

Gemeinsam gehen die drei zu dem Schuppen. Jeder nimmt so viel Strohbündel, wie er tragen kann. Sie legen die Bündel Stroh, in der Nähe des Kamins an der Wand entlang. So entstand ein langes Lager, wo sie alle nebeneinander schlafen können. Immer wieder holen sie neue Strohbündel um das Lager zu verbessern. Neue Flüchtlinge sind angekommen, die auch in dem Schloss bleiben sollen. Auch die holen sich das Stroh aus dem Schuppen und machen sich ein Schlafplatz in der Nähe des Kamins. Der Saal ist der einzige Raum in dem Schloss mit einer Feuerstelle.

Ich bin jetzt fünf Wochen alt, meine Mutter legt sich mit mir auf das Strohlager und stillte mich. Meine Cousine die einjährige Emma ist schon den ganzen Tag am weinen, sie verträgt die Nahrung nicht, und meine Tante Anna hat keine Milch um sie zu stillen. Die kleine Emma ist lebensgefährlich abgemagert. Die Arme und Beine sind nur noch Haut und Knochen der Bauch von Emma ist dick aufgebläht. Der Abend kommt, die Flüchtlinge machen eine Petroleumlampe an, die hatte der Bauer uns noch mitgegeben. Einer nach dem anderen legte sich auf das Strohlager und versucht zu schlafen. Meine Tante Anna ist mit ihren Nerven am Ende, die kleine Emma ist immer noch am wimmern und meine Tante weiß nicht was sie noch machen soll. Als meine Oma dann noch zu meiner Tante sagt, kannst du nicht einmal das Kind beruhigen da kann man ja nicht schlafen. Da steigt die Wut bei meiner Tante hoch und schreit ihre Mutter an. Hier nimm du das Kind, sie schnappt ihre kleine und schwache Tochter und schleudert sie in Richtung ihrer Mutter auf den Boden. Alle sind geschockt und die Kinder weinen jetzt alle. Auch meine Mutter und die anderen Flüchtlinge schimpfen jetzt auf meine Oma. Sie hatten alle Verständnis für meine Tante Anna, die mit den Nerven am Ende war. Marianna sprang sofort von ihrem Lager auf und nahm ihre kleine Schwester auf den Arm und drückt sie an sich, und versucht sie zu beruhigen. Meine Mutter sagt: Marianna gib mir mal das Kind. Marianna übergibt meiner Mutter ihre kleine Schwester, dann legte Mutter ihre kleine Nichte an ihre Brust und stillt das schwache Kind. Die kleine Emma konnte sich mal richtig satt trinken und schläft

zufrieden die ganze Nacht. Von nun an musste ich die Brüste meiner Mutter mit meiner kleinen Cousine Emma teilen.
Am nächsten Tag erkunden Michael, Anna und Marianna die nähere Umgebung, auch um zu sehen, wo sie Nahrung beschaffen können. Michael und seine Cousine Anna haben einen Bauernhof gesehen, der nicht so weit von dem Schloss liegt. Michael sagt zu seiner Cousine Anna morgen gehen wir mal zu dem Bauernhof, mal sehen, was das für Leute sind. Am nächsten Vormittag gingen Michael und Anna zu dem Bauernhof langsam und vorsichtig gehen sie auf den Hof vor dem Haus. Sie sind aufgeregt und angespannt und zum Weglaufen bereit, man kann nie wissen, werden sie verjagt oder greift ein Hund sie an? Die beiden stehen eine Weile auf dem Hof, dann kommen ein Mann und eine Frau aus dem Stall, freundlich kommen beide Bauersleute zu meinem Bruder und Cousine und begrüßen die freundlich. Michael und Anna zeigen mit der Hand zum Mund dass sie was zu Essen haben wollen und Hunger haben. Die beiden freundlichen Bauersleute sprechen auch nur wenig deutsch. Sie fragen die Kinder wo sie herkommen, Anna antwortet und sagt da hinten von dem Schloss, ah „Redl Schloss“ sagte die Frau in gebrochenem Deutsch. Die beiden Leute sagen zu Michael und Anna, kommt essen. Der Mann und die Frau gehen in das Haus und Michael und Anna folgen, aber immer noch vorsichtig. Sie gehen in die Küche und der Mann sagte zu den beiden Kindern, setzt euch hier an den Tisch. Die Bauersfrau ging an den Herd und rührt in einem Topf sie ist am kochen, und es riecht herrlich. Michael und Anna läuft das Wasser im Mund

Zusammen und der Magen schmerzt noch mehr vor Hunger. Die Bäuerin stellt den Topf auf den Tisch und schöpft den beiden eine große Portion auf den Teller, Ungarisch Gulasch denken die Kinder, Fleisch mit Kartoffel und einer roten Paprikasauce. So wie sie das Essen auch von früher her kannten. Die beiden essen so viel sie können, und erzählen den Bauersleuten, dass sie noch kleine Geschwister haben. Anna sagt ich habe noch drei Schwestern, Marianna sechzehn Jahre, Monika zweieinhalb, Emma ist ein Jahr.

Michael sagt ich habe noch drei Brüder Josef ist sechs Jahre, Erwin ist zweieinhalb Jahre und Stefan ist noch ganz klein vielleicht fünf Wochen alt. Michael und Anna stehen von dem Tisch auf und sagen wir müssen wieder gehen. Die Bäuerin sagt zu den zwei, „noch warten". Die Bäuerin ging aus der Tür und kam nach einer Weile wieder. Sie war in ihrem Vorratsraum, holte Fleisch, Wurst, Brot, Käse, Eier, Mehl, und schnürte die duftenden Sachen in ein Tuch und gab den beiden noch eine Kanne mit Milch dazu, dann sagte sie freundlich zu den Beiden, „wieder kommen". Michael nimmt das Bündel mit den Lebensmitteln, und Anna nimmt die Kanne mit der Milch. Sie bedanken sich bei den freundlichen und netten Menschen und machen sich auf den Weg zurück zu dem Schloss. Unterwegs sagt Michael zu seiner Cousine, Anna jetzt könnten wir doch heiraten, dann brauchen wir nachher nicht zu teilen, aber Anna sagt, dann haben unsere Geschwister und Eltern ja nichts zu essen. Anna und Michael kommen freudestrahlend in das Schloss zu ihren Familien und überraschten die mit ihren wertvollen Lebensmitteln. Jeder wollte mal an den duftenden Würsten und Käse riechen. In der Zeit, wo Michael und Anna weg waren, haben die Flüchtlinge in dem Kamin Feuer gemacht, damit es in dem Saal ein bisschen warm wurde. Marianna sagt zu Mutter, koche uns bitte etwas. Meine Mutter heißt ja Katharina und zu den Tanten sagten wir damals immer Besel. Und unsere Tante Anna die Mutter von unseren Cousinen war für uns die Anna-Besel. Zu den Onkel sagten wir Vetter. So sagten wir zu unserem Onkel Jörg, Jörg-Vetter, und zu unserem Vater Josef sagten meine Cousinen Sepp-Vetter. Meine Mutter nimmt sich einen Aluminiumtopf und legt das Fleisch in den Topf und schüttet Wasser drauf, dann stellt sie den Topf in den offenen Kamin. Schält Kartoffeln in eine verbeulte Aluminium Schüssel, zerschneidet die Kartoffel in kleine Stücke, wäscht die Kartoffeln und schüttet diese in den Topf zu dem Fleisch.

Nach anderthalb Stunden hatten beide Familien ein kräftiges Essen. Jeder durfte aus dem Topf löffeln, ein Stück Brot dazu, und alle wurden satt. Mein Bruder Michael und meine Cousine Anna gingen von da an regelmäßig ein bis zweimal die Woche zu den hilfsbereiten Bauersleuten, immer wieder helfen die beiden mit Lebensmitteln, ohne das meine Cousine und Bruder bitten müssen. Oft steht die liebe Frau auf dem Hof und erwartet meinen Bruder und meine Cousine schon und winkt ihnen zu. „Habe für euch Gutes gekocht“, sagt die freundliche Frau, und nimmt die beiden mit in das Haus zum Essen. Der Bauer und seine Frau hatten wahrscheinlich keine Kinder und würden Anna und Michael am liebsten für immer auf dem Bauernhof behalten.

Die Wochen vergehen, es wird immer kälter der Kamin im Schloss muss jetzt immer brennen, um den Raum und die Flüchtlinge zu wärmen. Marianna und die erwachsenen Flüchtlinge gingen immer weiter weg in die Dörfer zum Betteln, bis nach Melykut, das sind über zehn Kilometer.

Die Wochen vergehen das Holz zum Heizen des Kamins wurde immer weniger und es reicht nicht über den Winter. Michael hat ein Beil im Schloss gefunden, und er sagt zu seiner Cousine Anna „komm wir gehen Holz holen." Die beiden sind jetzt unzertrennlich, und sie machen alle Unternehmungen gemeinsam. Sie gehen in den angrenzenden Wald suchen Äste und fällen dünne Bäume und schleppen dann das Holz zu dem Schloss. Vor diesem zerstückelt Michael mit seinem Beil das Holz. Die Arbeit ist anstrengend und Michael wird schon ohne Feuer ganz warm. Anna und Michael nehmen beide ein Arm voll Holz, und tragen dies in das Schloss, sie legen das frisch geschlagene Holz in den Kamin auf das spärlich brennende Feuer und warten bis das Feuer jetzt stark aufflackert. Sie stehen vor dem Kamin und beobachten die Flammen, wie sie sich durch das frische Holz schlängeln, aber das frisch geschlagene Holz will nicht richtig brennen.

Es qualmt zischt und quickt, die dünnen Ästchen winden sich in den Flammen und Wasser dringt aus den Enden der Holzstücke. Anna sagt zu Michael das Holz Pienst.

Das ist ein anderes Wort für Weinen. Die beiden bleiben so lange vor dem Kamin stehen, bis die Flammen auch ihr Holz entzündet hat und angenehme Wärme verbreitet, auch mein Bruder Josef und seine Cousine Monika stellen sich jetzt vor den Kamin und wollen sich aufwärmen. Michael sagt zu Anna, komm wir holen noch mehr Holz.

Es schneit, der Winter von 1945 auf 1946 ist ein sehr kalter Winter. Wie jeden Morgen wickeln sich Anna und Michael Lappen um die Füße, bevor sie in

die Schuhe schlüpfen und ihren täglichen Beschäftigungen nachgehen. Sie stampfen durch den Schnee zu dem Bauernhof, oder gehen in den Wald, schütteln den Schnee von den Sträuchern und schlagen Holz für den Kamin. Der Winter geht vorbei, alle Flüchtlinge haben die kalte Jahreszeit überlebt. Meine kleine Cousine Emma ist nicht mehr in Lebensgefahr, durch das Stillen meiner Mutter hat meine Cousine sich sehr gut erholt.
Es ist Frühjahr 1946. Ungarische Beamte kommen in das Schloss, sie teilen uns mit, dass wir nach Deutschland ausgewiesen werden. Wir haben noch ein paar Tage Zeit sagen die Beamten. Die Belastung für die ungarische Bevölkerung durch die deutschen Flüchtlinge ist nicht mehr zumutbar. Nach ein paar Tagen fahren zwei Pferdewagen vor das Redl- Schloss. Die Beamten von der letzten Woche sind auch wieder dabei. Wir bringen euch jetzt zu dem Bahnhof nach Tompa-Kelebia, dort wartet ein Zug auf euch. Die Flüchtlinge packen wieder ihre Bündel mit den Habseligkeiten, und sind schon in kurzer Zeit transportbereit. Die Kinder und Frauen setzen sich auf die Wagen, das Gepäck wird aufgeladen. Die Männer gehen zu Fuß die wenigen Kilometer neben oder hinter den Wagen. Nach einiger Zeit kommen meine Familie, meine Tante und die anderen Flüchtlinge wieder zu dem Bahnhof in Kelebia, an dem sie schon vor einem Jahr als Vertriebene aus Sudetenland angekommen sind. Der Heimatort und ihr Haus in Karavukovo, Jugoslawien sind nur einhundert zwanzig Kilometer entfernt. Zwei Stunden Zug fahren und sie wären wieder zu Hause. Aber die Verhandlungen zwischen ungarischen und jugoslawischen Behörden haben ergeben, dass die Flüchtlinge nach Deutschland ausgewiesen werden. Meine Familie und die Familie meiner Tante

steigen in den Zug ein. Diesmal ist es zum Glück kein Viehwagon, sondern ein normaler Personenwagon mit Sitzbänken. Auch Flüchtlinge aus anderen Ortschaften steigen in den Zug, und werden nach Deutschland ausgewiesen.

Wiener Neustadt

Die Flüchtlinge sind alle in dem Zug. Der Zug ist zur Abfahrt bereit. Der Schaffner gibt mit der Trillerpfeife das Signal zur Abfahrt, ein Ruck geht durch den Zug und der setzt sich langsam in Bewegung. Die Fahrt geht durch Ungarn Richtung Österreich. Nach ein paar Stunden überquert der Zug die österreichische Grenze. Nach einiger Zeit quietschen die Bremsen, der Zug hält an, und ein Mann ruft, Wiener-Neustadt, alles aussteigen. Meine Mutter und meine Tante schauen sich fragend an, da ruft wieder ein Mann „ihr müsst alle umsteigen in einen anderen Zug". Michael nimmt das Gepäck hoch und schwingt es sich auf den Rücken. Dann nimmt er unseren kleinen Bruder Erwin an die Hand und geht an die Tür des Wagons. Mein Bruder Sepp möchte mit seinen sieben Jahren schon alleine aussteigen und stellt sich hinter unseren großen Bruder Michael. Meine Mutter nimmt mich von der Sitzbank, wo ich gut eingepackt auf der Fahrt geschlafen habe. Alle Flüchtlinge stehen auf und wollen aussteigen. Meine Cousine Marianna nimmt die kleine Emma auf den Arm und steigt ebenfalls aus. Auf dem Bahnsteig sind viele Menschen, es wird gedrängelt, und geschupst. Meine Mutter ruft, bleibt schön zusammen damit wir uns nicht verlieren. Dicht gedrängt gehen wir zu dem österreichischen Zug, der uns nach Deutschland bringen soll. Wir steigen in einen Wagon, auch wieder mit Sitzbänken, keine Viehwagons und jeder sucht sich einen Platz. Marianna gibt ihrer Mutter die kleine Emma auf den Arm und setzt sich selbst mit ihrer Schwester Monika auf die Sitzbank neben ihre Mutter. Oma Merkel sitzt mit dem Gepäck gegenüber auf der Sitzbank. Meine Mutter sitzt mit mir auf der anderen Seite des Mittelgangs, und gegenüber hat sich mein Bruder Michael mit dem kleinen Erwin auf die Bank gesetzt. Meine Cousine Anna setzt sich an die Außentür des Wagons. Mein Bruder Sepp stellt sich an die Tür, wo wir zuvor alle eingestiegen sind. Die Flüchtlinge sind alle eingestiegen und der Zug ist zur Abfahrt bereit. Die Trillerpfeife des Schaffners schrillt über den Bahnhof von Wiener Neustadt. Ein Ruck geht durch die Wagons. Die Tür, wo mein Bruder Sepp steht, springt auf, und mein Bruder fällt rückwärts aus dem Wagon und landet auf dem Bahnsteig. Ein Aufschreien geht durch unseren Wagon, „der Sepp, der Sepp ist aus dem Zug gefallen“. Meine Mutter schreit „mein Kind, mein Kind, tut doch was, tut doch was“, schreit meine Mutter immer wieder. Alle stürzen sich an die Fenster, um nachzusehen, ob meinem Bruder Josef etwas Schlimmes passiert ist. Alle in dem Wagon sind geschockt und weinen, auch die Kleinsten weinen und schreien. Durch das hysterische Schreien meiner Mutter haben auch die Kinder gemerkt, dass etwas Schreckliches passiert ist, und fingen auch an zu schreien. Michael schiebt schnell das Fenster auf und alle wollen gleichzeitig aus dem Fenster schauen, sie konnten sehen, dass Leute um meinen Bruder Josef stehen, aber sie konnten nicht erkennen, wie schwer er verletzt ist.

Mein Bruder Josef schlägt hart auf dem Bahnsteig auf, hat sich aber nur leicht verletzt, verdutzt und geschockt sitzt mein sieben Jahre alter Bruder auf dem Bahnsteig und sieht dem Zug hinterher. Jetzt begreift er erst, was passiert war und das er jetzt ganz alleine ist.

Panik ist in seinem Gesicht und er fängt an zu schreien, „Mama, Mama", immer wieder schreit er aus vollem Hals nach seiner Mama, als könnte er den Zug mit seinem Schreien anhalten. Aber der Zug fährt erbarmungslos weiter. Er schreit so lange weiter, bis der Zug hinter der nächsten Kurve verschwunden ist. Fremde Leute stehen auf einmal um ihn herum und helfen ihm auf die Beine. Die Leute versuchen ihn zu beruhigen und sagen, wir finden deine Mamma wieder. Komm wir bringen dich erst mal in den Bahnhof. Immer wieder schaut Josef in die Richtung, in die der Zug verschwunden ist. Nach einer Zeit kommen ein Mann und eine Frau zu meinem Bruder und reden beruhigend auf ihn ein. Wir bringen dich in ein Kinderheim, da sind noch mehr Kinder die ihre Eltern verloren haben, und dann suchen wir deine Familie.

Der Zug fährt weiter, keiner hat ihn angehalten. Meine Mutter wusste nicht hat ihr Kind überlebt, ist er verletzt oder sogar tot? Tiefe Trauer bei meiner Mutter und bei meinem großen Bruder Michael, mit 13 Jahren hat mein Bruder Michael doch mit Betteln dafür gesorgt, dass die Familie nicht verhungert ist, und der kleinere Bruder Josef war oft dabei. Jetzt ist er weg, einfach aus dem Zug gefallen. Meine Cousinen meine Tante und Oma versuchen jetzt meine Mutter zu beruhigen und sagen zu ihr, der Josef lebt, der Zug ist noch nicht schnell gefahren. Sie überzeugen meine Mutter, dass er den Sturz überlebt hat.

Ich bin ein halbes Jahr alt und fühle nur, dass ich Hunger habe, mein Schreien lenkt meine Mutter ein bisschen ab. Sie nahm mich an Ihre Brust und stillt mich, die Tränen flossen ihr über das Gesicht und tropften auch auf mein Gesicht.

Der Zug fährt weiter Richtung Deutschland. Nach ein paar Stunden Fahrt kommt der Zug an die Österreichische-Deutsche Grenze und hält am Bahnhof Passau.

Deutschland

Passau ruft ein Bahn Angestellter „alles aussteigen“. Wieder schwingt Michael das Bündel mit den wenigen Habseligkeiten auf sein Rücken, und nimmt seinen kleinen Bruder Erwin an die Hand und ist zum Aussteigen bereit. Meine Mutter nimmt mich auf den Arm und ist auch zum Aussteigen fertig. Sie schaut sich um als würde noch etwas fehlen, Josef fehlt, und wieder kommen ihr die Tränen. Sie steigen alle aus und versammeln sich auf dem Bahnsteig. Alle Flüchtlinge bekommen zu essen. Ein neuer Zug wird für die Flüchtlinge zusammengestellt. Nach ein paar Stunden Aufenthalt war es Abend geworden am Bahnhof Passau. Wieder ruft ein Bahn Angestellter „alles einsteigen“. Familie Milli und meine Familie gehen dicht gedrängt in einer Gruppe zu einem Wagon und steigen ein.
Wieder geht die Trillerpfeife des Schaffners, ein Ruck geht durch den Zug, und der Zug nimmt Fahrt auf. Meine Mutter fängt wieder an zu weinen, alle haben in diesem Moment an den kleinen Josef gedacht, und im Geiste nochmals gesehen, wie er aus dem Zug gefallen ist. Es ist Abend geworden, meine Familie und Familie Milli versuchen zu schlafen. Sie sitzen auf den harten Holzbänken und machen die Augen zu. Michael legt eine Decke auf eine Sitzbank und legt sich mit unserem Bruder Erwin längs auf die Sitzbank. Eng umschlungen versuchen sie zu schlafen. Marianna findet die Idee gut und macht das gleiche mit ihrer kleinen Schwester Monika. Der Zug rattert durch die Nacht, bum bum, bum bum, die Bremsen quietschen, der Zug hält mal an und fährt

wieder weiter. So vergeht Stunde um Stunde und es wird draußen langsam wieder hell. Keiner von den Flüchtlingen hat viel geschlafen. Einer nach dem anderen steht auf, reckt und streckt sich. Ihre Knochen tun weh von den harten Sitzbänken. Michael schaut aus dem Fenster ihres Wagons und sagt wir fahren an einem Fluss entlang.

Meine Mutter nimmt mich von der Sitzbank, wo sie mit einer Decke für mich ein Lager gemacht hatte. Sie legt mich an ihre Brust und stillte mich.

Ein Ruck geht durch den Zug, die Bremsen quietschen und der Zug wird langsamer und bleibt an einem Bahnhof stehen. „Neckarzimmern, alle Aussteigen", ruft ein Schaffner.

Wieder packen die Flüchtlinge ihre Bündel und steigen aus und versammeln sich auf dem Bahnsteig. Ein Mann ruft, hört mir alle mal zu, wir haben hier in dem Ort mehrere Häuser, da könnt ihr vorübergehend wohnen. Der Weg von dem Bahnhof zu den Häusern ist nicht sehr weit. Leute von dem Deutschen Roten Kreuz begleiten die Flüchtlinge zu den Häusern und zeigen meiner Mutter und uns Kindern, auch meiner Tante Anna mit Familie und Oma die Räume, wo wir wohnen können. Die Zimmer sind einfach mit Stockbetten mit einem Tisch und vier Stühlen. Oma wohnt jetzt bei uns im Zimmer. Nach ein paar Tagen kommen Beamte von der Kreisstadt Mosbach und nehmen unsere Personalien auf. Wo kommt ihr her fragen die Beamten. Aus Jugoslawien sagte meine Mutter, aus dem Ort Karavukovo, da sind wir im Sommer 1944 vor den Russen geflüchtet. Das sind ja fast zwei Jahre, wo ihr unterwegs gewesen seid, sagte der Beamte. Von nun an übernehmen die Beamten von der Kreisstadt Mosbach die Unterbringung der Flüchtlinge. In diesem Übergangslager konnten wir nicht lange bleiben. Nach ein paar Wochen kommen wieder die Beamten von Mosbach und sagen, wir müssen euch in eine andere Unterkunft bringen, ihr müsst eine Wohnung haben, wo ihr auch bleiben könnt. Nach ein paar Tagen kommen Lastwagen, die meine Familie und die Familie meiner Tante und andere Flüchtlinge abholen.

Die Fahrt geht von Neckarzimmern in den Ort Waldkatzenbach. Vor der Gaststätte zum Löwen bleiben die Lastwagen stehen. Hier in der Gasstätte müsst ihr vorübergehend bleiben, und in den nächsten Tagen kommen Leute, die noch Platz für Wohnungen frei haben, bei diesen Leuten könnt ihr dann wohnen bleiben. Die Flüchtlinge gingen in die Gaststätte und bekommen von dem Wirt Zimmer zugeteilt. Die Zimmer sind nicht sehr groß und haben nur zwei Betten. „Michael“, sagt meine Mutter, „du schläfst heute Nacht mit deinem Bruder Erwin in dem Bett, und ich schlafe mit dem Kleinen in dem anderen Bett.“ Mit dem Kleinen meinte sie mich. Michael lässt den Bündel auf den Boden gleiten, und setzt sich auf das Bett. Endlich ein richtiges Bett, sagte er. Meine Mutter setzt sich auf ihr Bett und sagt, „ich muss euer Brüderchen stillen.“ Sie legt mich an ihre Brust und lässt mich trinken. Nach dem Stillen wickelte meine Mutter mich in trockene Windeln und legte mich in das Bett zum Schlafen. Ich lag in dem weichen Bett und mit vollem Bauch konnte ich schnell einschlafen. Michael sagt zu Mutter, „komm wir schauen mal wo die Millies ihre Zimmer haben.“ Sie gehen auf den Flur und meine Mutter macht leise die Zimmertür hinter sich zu. Auch meine Tante Anna mit der Oma und den vier Kinder haben sich die Betten von zwei Zimmern aufgeteilt. Gemeinsam gehen sie die Treppen zur Gaststätte nach unten. Sie bekommen zu essen und zu trinken, danach gehen sie vor die Gaststätte und wollen sich ein bisschen umsehen. Neugierige Leute aus dem Ort haben sich versammelt und betrachten uns misstrauisch. Wir sehen stark abgemagert und verwahrlost aus. Meine Mutter, Tante und Oma haben vier bis fünf Röcke übereinander angezogen. Das ist die Kleidung aus unserer jugoslawischen Heimat. In den nächsten Tagen kommen einheimische Leute, die gezwungen werden, Flüchtlinge in ihre lehrstehende Wohnungen aufzunehmen. Sie haben aber die Möglichkeit, sich die Flüchtlinge auszusuchen. „Die Familie kann ich unterbringen“, ein anderer Mann sagt, „ich kann diese Flüchtlinge unterbringen.“

Nach ein paar Tagen waren alle Flüchtlinge in Wohnungen vermittelt. Nur meine Tante mit ihren vier Kindern, und meine Mutter mit ihren drei Kindern und Oma wollte keiner haben. Am nächsten Tag kommen wieder Beamte von der Gemeindeverwaltung, verteilen Lebensmittelkarten und sagen damit könnt ihr hier in dem Ort einkaufen, es gibt ein Lebensmittelgeschäft, ein Bäcker und ein Metzger. Dann sagt er, wir haben ein Haus für euch gefunden, da können beide Familien wohnen. Das Haus ist eine alte stillgelegte Mühle im Ort Unterhöllgrund, drei Kilometer von hier. „Was?“, sagt meine Mutter schnippisch, „wir kommen schon vom Grund der Hölle.“ Der Beamte versucht unsere beiden Familien zu beruhigen, das ist ein schönes ruhiges Tal, und in der Mühle können beide Familien zusammen bleiben. Die beiden Familien haben keine andere Wahl und lassen sich überreden. „Morgen fahren wir euch mit einem Lastwagen dorthin“, sagt der Beamte. Am nächsten Vormittag kam, wie versprochen ein Lastwagen vor die Gaststätte. Der Lastwagenfahrer und der Beamte helfen uns beiden Familien auf die Ladefläche des Fahrzeuges zu klettern. Der direkte Weg in das Tal ist ein sehr steiler und steiniger Waldweg. Der Lastwagen kann diesen Weg nicht nutzen und muss einen weiten Umweg fahren. Die Fahrt geht über Strümpfelbrunn in das Höllbachtal, durch den Ort Oberhöllgrund. Der Ort hat nur drei Häuser mit Scheunen und eine intakte Mühle mit Mühlrad, das durch Wasserkraft angetrieben wird. Die Straße nach Unterhöllgrund führt zwei Kilometer durch das schmale Tal am Höllbach entlang. Das erste Haus ist ein Bauernhof die Straße geht mitten durch, links ist die Scheune und rechts am steilen Hang steht das Wohnhaus. Nach fünfhundert Metern ist das Tal breiter. Hier ist der Ortskern mit vier Wohnhäusern mit Scheunen. Der Ort Unterhöllgrund hat elf Bauernhäuser. Die Alte Mühle steht am Berghang zwanzig Meter von dem Bachlauf.

Mühle im Unterhöllgrund

Der Lastwagen bleibt vor der Mühle stehen, der Fahrer und der Beamte steigen aus und sagen, das ist das Haus. Hier könnt ihr wohnen bleiben. Michael und meine Cousinen Marianna und Anna steigen von dem Lastwagen, um meiner Mutter und meiner Tante mit den Kindern beim Absteigen zu helfen. Sie stehen vor der Mühle und betrachten das Haus. Eine hohe Sandsteintreppe mit Eisengeländer führt in die oberen Wohnungen. Rechts vor dem Treppen Aufgang ist eine geteilte Stalltür, die zu einem kleinen Stall führt. Unter der Sandsteintreppe ist noch eine geteilte Stalltür, die zu einem Kellerraum führt. Unsere beiden Familien gehen die hohe Steintreppe nach oben. Sie gehen in das Haus und begutachten die Wohnräume. Danach sind sie sich einig, meine Tante Anna mit ihrer Familie möchte in der oberen Wohnung und meine Mutter mit der Oma will im ersten Stock wohnen. Meine Tante wollte mit ihrer Mutter, unserer Oma nicht mehr zusammenwohnen, sie hat sich auf der Flucht über ihre Mutter zu viel geärgert. In der Wohnküche steht ein Holzofen mit Wasserschiff und Backröhre, ein großer Holztisch mit Stühlen und Sitzbank. In den Schlafräumen stehen schwere Holzbetten mit einem Strohsack als Matratzen. Die Mühle hat kein fließendes Wasser, wir müssen das Wasser zum Kochen und Waschen mit einem Eimer an einer Quelle in hundert Meter Entfernung holen.

Am nächsten Tag kommen Leute von dem Deutschen Roten Kreuz. Sie bringen uns Lebensmittel, gebrauchte Kleidung, Kochgeschirr, die Auswahl ist nicht sehr groß, es gibt zu viele Flüchtlinge, die versorgt werden müssen. Meine Mutter erzählt unter Tränen den Leuten vom Roten Kreuz die schlimme Geschichte von ihrem Kind, das im Bahnhof Wiener

Neustadt aus dem anfahrenden Zug gefallen war, und bittet um Hilfe, ihr Kind zu finden. Die Leute vom Roten Kreuz schreiben alles auf, auch die Namen von unserem Vater Josef und Onkel Georg die noch vermisst werden. Auch die Namen unserer Verwandten, die auch aus der Heimat geflüchtet sind, schreiben sie auf. Sie versprechen, dass sie sich wieder melden werden, und versuchen uns zu helfen.

Gegenüber von unserer Mühle, auf der anderen Straßenseite steht auch ein Bauernhaus. In dem Bauernhaus wohnen ein alter Mann mit seiner blinden Frau und seiner Tochter. Die hat einen unehelichen Sohn, der schwer behindert ist. Die lieben Leute haben uns immer wieder mit Lebensmitteln geholfen. Auch die anderen Nachbarn brachten uns bei Hausschlachtung Wurstsuppe. Beim Umschütten in unseren Topf wurde es sehr spannend, plumpst, oder plumpst es nicht, wenn es plumpst, dann ist ein Blut oder Leberwürstchen drin, oder beides. Meine Mutter und Michael, meine Tante und meine Cousinen arbeiten gelegentlich bei den Bauern gegen Lebensmittel. Wir sind sehr arm, oft haben wir nichts zu essen. Dann kocht meine Mutter von Brennnesseln oder Rübenkraut Spinat, das schmeckt fürchterlich. Wir schauen unsere Mutter dann fragend und traurig an. Ich habe nichts anderes entschuldigt sich unsere Mutter. Wir essen dann ein wenig und bleiben dann doch lieber hungrig. Meine Mutter sagt zu Michael, wir müssen für dich Arbeit finden. In den nächsten Tagen fragt unsere Mutter alle Leute in der Umgebung nach Arbeit, und sie hat Glück Michael kann als Waldarbeiter arbeiten gehen. Auch meine Mutter hat Arbeit gefunden, sie kann als Aushilfe in der Mühle im Oberhöllgrund arbeiten. Von da an geht es uns ein bisschen besser, wir müssen nicht mehr so viel hungern.

Jetzt haben wir auch ein bisschen Geld und wir können ab und zu einkaufen gehen. Aber die nächste Möglichkeit zum Einkaufen ist Waldkatzenbach, das ist der Ort, wo wir für ein paar Tage in der Gaststätte zum Löwen untergebracht waren. Mit dem Rucksack auf dem Rücken geht meine Mutter nach Waldkatzenbach einkaufen. Der sehr steile Weg ist drei Kilometer und führt durch den Wald. In dem Ort gibt es einen Bäcker, Metzger, Schuster und ein Haushaltsgeschäft. Meine Mutter kauft nur das Nötigste und das Geld ist schnell ausgegeben. So geht unsere Mutter regelmäßig, wenn es nötig ist, den weiten Weg zum Einkaufen. Wenn sie uns eine Freude machen wollte und uns eine Überraschung mitbringt, dann hat sie oft mehr eingekauft, wie sie bezahlen kann und sie musste anschreiben lassen. Die Geschäfte haben aber Vertrauen zu Mutter, sie hat ihre Schulden immer zurückbezahlt. Jeden Tag denkt meine Mutter an Sohn Josef, der in Österreich aus dem Zug gefallen ist. Wie wird es meinem Kind nur gehen. Jeden Tag, wenn die Post kommt, hoffen wir alle, dass auch für uns ein Brief vom Roten Kreuz dabei ist, und wir Nachrichten über unseren kleinen Bruder oder über unseren vermissten Vater bekommen. Die Zeit vergeht, es ist das Jahr 1947 meine Tante Anna bekommt ein Brief, in dem steht das bei der nächsten Entlassung von russischen Kriegsgefangenen ihr Mann auch dabei ist. Sie liest den Brief, ihre Augen werden immer größer, und sie schreit „mein Mann kommt aus der Gefangenschaft, Kinder euer Vater kommt heim", ruft sie ganz aufgeregt. Schnell hat sich die gute Nachricht im ganzen Dorf verbreitet. Es dauerte noch ein paar Wochen dann kommt der Onkel Jörg Milli aus der Gefangenschaft. Die Freude bei meinen

Cousinen und bei meiner Tante ist riesengroß. Auch unsere Familie freut sich natürlich über die Heimkehr von unserem Onkel Jörg-Vetter, und wir bereiten ihm gemeinsam einen schönen Empfang. Die Monate vergehen und unsere Familie hat noch immer keine Nachricht über unseren vermissten Vater und Bruder.
Es ist das Frühjahr 1949. Leute vom Roten Kreuz sind gekommen, Mutter ging sofort auf sie zu und fragt haben sie etwas von meinem Kind und von meinem Mann erfahren? Die Leute vom Roten Kreuz antworten, ihr Mann lebt er ist in russischer Gefangenschaft, Gott sei Dank bricht es aus ihr, und wann kommt er Heim, unterbricht sie ungeduldig. Die Leute vom Roten Kreuz sagen. Das können wir noch nicht sagen, da müssen wir noch abwarten. Wieder fragt meine Mutter habt ihr mein Kind gefunden. Die vom Roten Kreuz sagen: Wir haben in Österreich in Graz eine Familie Konrad gefunden. Das ist mein Schwager sagt meine Mutter aufgeregt. Und in einem Kinderheim bei Wien haben wir ein Kind gefunden, mit dem Namen Josef Konrad, aber wir können nicht sagen, ob das ihr Kind ist. Es müsste jemanden den Jungen identifizieren. Meine Mutter schreit mit aufgeregter Stimme, sie haben mein Kind gefunden, Kinder sie haben euren Bruder gefunden. Sie war sich sicher, dass es unser Bruder Josef ist. Meine Mutter nimmt uns Kinder in die Arme und weint vor Glück. Auch wir Kinder fangen an zu weinen. Michael fällt eine große Last vom Herzen, er fühlte sich immer verantwortlich, er hat in der schlimmen Zeit immer den Vater ersetzen müssen, und jetzt wird alles wieder gut. Ich fahre dahin, sagt meine Mutter zu den Leuten vom Roten Kreuz. Gebt mir bitte die Adresse von dem Kinderheim und meinem Schwager. Die Leute vom Roten Kreuz bieten uns noch

ein paar gebrauchte Kleidungsstücke an. Die Hose könnte von der Größe Josef passen, wenn er wieder da ist, die könnte einem neunjährigen Jungen passen meinte sie nochmals. Als die Leute vom Roten Kreuz wieder gegangen sind, ging meine Mutter sofort und suchte Schreibpapier. Sie setzt sich an den Tisch und schreibt einen Brief an ihren Schwager nach Graz. Lieber Schwager, sie schreibt die schlimme Geschichte als Josef in Wiener Neustadt aus dem Zug gefallen ist. Mein Kind ist jetzt in dem Kinderheim St. Benedikt in Wien, bitte fahre in das Kinderheim, du kennst ja mein Josef. Nehme mein Kind dann zu dir nach Hause, ich hole ihn dann bei euch ab. Meine Mutter schreibt noch die Adresse und Absender auf den Briefumschlag, Michael bring schnell den Brief auf die Post. Michael läuft im Laufschritt die fünfhundert Meter zur Post, als kommt es auf jede Sekunde an, und gibt den Brief dem Postmann. Am nächsten Tag geht unsere Mutter wieder zur Holzers Mühle im Oberhöllgrund auf die Arbeit. Sie fragt den Besitzer, ob sie der nächsten Zeit mehr Stunden arbeiten kann. Sie erklärt dem Besitzer, dass sie ihren Sohn in Österreich holen möchte, und für die Fahrt noch Geld sparen muss. Der Chef hat Verständnis, auch Mitleid er will meiner Mutter helfen und ist einverstanden. Auch Michael muss sein bisschen Geld, das er durch seine Arbeit bekommt, für die Familie opfern und hat kein Taschengeld für seine offenen Wünsche. Jeden Tag hofft meine Familie auf Post aus Graz von dem Bruder meines Vaters. Drei Wochen sind vergangen, endlich hat der Postbote den mit Sehnsucht erwarteten Brief. Wir sind alle sehr aufgeregt und neugierig. Mit zitternden Händen öffnet meine Mutter den Brief. Wir haben uns alle um meine Mutter versammelt und spitzen die Ohren.

Meine Mutter fängt an aus dem Brief zu lesen. Liebe Schwägerin, wir sind in das Kinderheim gefahren und haben deinen verlorenen Sohn gefunden. Wir durften deinen Sohn Josef nach ein paar Formalitäten auch direkt mitnehmen. Dein Kind ist jetzt bei uns, du kannst deinen Jungen jederzeit bei uns abholen. Er schreibt weiter. Wir sind nach eurer Flucht 1944 aus Jugoslawien, auch zu Fuß den weiten Weg nach Österreich geflüchtet, und konnten hier in Graz wohnen bleiben. Viele Grüße dein Schwager.
Am nächsten Morgen ging meine Mutter die drei Kilometer zum Bahnhof in den Ort Gaimühle. Sie möchte sich informieren über die Zugverbindungen nach Österreich und nach Graz. Der Bahnbeamte erklärt meiner Mutter die Bahnstrecke und schreibt ihr auf ein Papier, wo sie umsteigen muss. Übermorgen wäre eine gute Zugverbindung sagt der Bahnbeamte. Gut, sagt meine Mutter, mit dem Zug fahre ich. Sie geht wieder nach Hause, leiht sich bei ihrer Schwester Anna einen kleinen Koffer und fängt an zu packen. Sie packt auch die Hose vom Roten Kreuz ein, und sagt jetzt habe ich wenigstens ein Geschenk für Josef, wenn ich Josef in Graz abhole. Ich begleite dich zum Bahnhof sagt meine Tante Anna, wir gehen auch mit, sagen Michael und meine Cousinen Marianna und Anna. Meine Oma bleibt zu Hause, sie muss auf meine Cousinen Emma und Monika, mein Bruder Erwin und auf mich aufpassen. Wir vier sind noch zu klein für den weiten Weg zum Bahnhof. Am nächsten Morgen sind alle früh aufgestanden. Der Zug fährt am frühen Vormittag und sie müssen vor sieben Uhr loslaufen. Meine Mutter verabschiedet sich von ihrer Mutter, unserer Oma und sagt zu ihr, pass gut auf meine Kinder auf, bis ich mit Josef zurückkomme. Sie nimmt Erwin und mich nochmals in den Arm und

sagt. Ich hole euren Bruder und bin in ein paar Tagen wieder zurück. Michael nimmt den kleinen Koffer von Mutter, und die fünf marschieren los. Meine Mutter hat sich für die Fahrt heimlich Geld gespart, sonst konnte sie sich die teure Fahrt nicht leisten. Sie löst sich am Bahnhofschalter die Fahrkarte nach Graz in Österreich und lässt sich nochmals die Bahnstrecke und wo sie umsteigen muss erklären. Sie hat nicht mehr viel Zeit, bis der Zug kommt. Sie verabschiedet sich von Michael, meinen beiden Cousinen Anna und Marianna und ihrer Schwester, dann geht sie durch die Tür auf den Bahnsteig. Nach ein paar Minuten kommt auch schon der Zug in den Bahnhof eingefahren. Meine Mutter steigt ein und sucht sich schnell einen Fensterplatz, der zum Bahnsteig zeigt. Sie stellt sich hinter das Fenster und winkt Michael und meinen Cousinen und Tanten zu. Der Bahnbeamte ruft, alles einsteigen, und kurz darauf gibt er mit seiner Trillerpfeife das Signal für den Lockführer zum Abfahren. Ein Ruck geht durch den Zug, meine Mutter erschreckt bei dem Geräusch, wieder hat sie die schrecklichen Bilder vor Augen, als ihr Sohn Josef vor drei Jahren rückwärts aus dem Zug gefallen ist. Mit Tränen in den Augen winkt sie Michael zu, bis sie ihn nicht mehr sehen kann. Der Zug fährt den ganzen Tag. Am Abend kommen sie an die deutsch österreichische Grenze. Der Zug hält an, Grenzsoldaten betreten den Zug, sie kontrollieren die Fahrgäste, dann kommen die Beamten zu meiner Mutter und fragen, wo wollen sie hin? Meine Mutter erzählt ihnen die Geschichte von ihrem verlorenen Sohn, den sie abholen möchte. Der Beamte schaut nochmals in die provisorischen Ausweispapiere, schüttelt den Kopf und sagt, aussteigen. Meine Mutter versucht nochmals dem Beamten zu erklären, dass sie unbedingt nach Graz muss.

Schroff nimmt der Beamte meine Mutter am Arm und führt sie aus dem Wagon. Sie steht vor dem Zug und weiß nicht, wie es weitergehen soll. Zwei junge Männer wurden auch an der Grenze abgewiesen, sie sprechen meine Mutter an und sagen, wir gehen heute Nacht illegal über die Grenze. Da gehe ich mit, sagt meine Mutter spontan. Die drei besprechen wie und wo sie am besten über die Grenze nach Österreich gehen wollen. Wir versuchen es ein paar Kilometer rechts von dem Grenzübergang. Meine Mutter nimmt ihren leichten Koffer, dann gehen sie auf einem Feldweg in die Richtung, wo sie über die Grenze wollen. In einem Waldstück, am Fuße von einem Berg halten sie sich versteckt. Die Sonne ist schon untergegangen und es wird langsam dunkel. Alle drei sind sehr angespannt und ihr Puls schlägt schnell. Die Angst, dass sie von den Grenzsoldaten erwischt werden und auf sie vielleicht ge-schossen wird, ist groß. Sie kraxeln den Berg hinauf keuchen vor Anstrengung. Immer wieder machen sie Pause und lauschen in die Nacht, ob sie vielleicht verfolgt werden. Ein Kreuz taucht am mondhellen Himmel auf, es steht am höchsten Punkt des Bergkamms. Erschöpft kniet meine Mutter vor dem Kreuz und versinkt in ein Gebet. Auf dem hohen Berg, und in der Stille der Nacht fühlt sie sich Gott ganz nah. Bitte lieber Gott, hilf mir, meinen Sohn zu finden, und helfe bitte auch meinem Mann, der immer noch in russischer Gefangenschaft ist, dass er wieder gesund nach Hause kommt und beschütze meine Familie zu Hause. Die beiden Begleiter werden ungeduldig, einer von den beiden tippt Mutter auf die Schulter und sagt, wir wollen weiter gehen. Mutter nickt, und steht auf. Mit neuer Hoffnung und gestärkt durch das Gebet geht sie mit ihren Begleitern weiter.

Am frühen Morgen sind sie auf der anderen Seide am Fuße des Berges in Österreich angekommen. Meine Mutter ordnet sich die Kleidung und sagt zu den beiden Männern, ich gehe jetzt wieder auf der österreichischen Seite zurück in den Ort an den Bahnhof und steige wieder in einen Zug nach Graz. Die beiden Männer sagen, wir gehen in die andere Richtung. Sie verabschieden sich und jeder geht seinen Weg. Meine Mutter geht in Richtung Ortschaft zu dem Bahnhof. Sie fragt einen Bahnbeamten. „Wann geht der nächste Zug nach Graz?“ Der Beamte antwortet, in einer Stunde geht ein Zug Richtung Villach, und da müssen sie umsteigen nach Graz. Sie hat noch ein bisschen Zeit. Sie geht auf den Bahnsteig und setzt sich auf eine Bank. Sie ist erschöpft und muss aufpassen, dass sie nicht einschläft. Der Zug fährt in den Bahnhof, sie steigt ein und sucht sich wieder ein Fensterplatz. Der Zug fährt mit einem Ruck an, und sie muss wieder an ihren Josef denken, als er aus dem Zug gefallen ist. Aber heute Abend werde ich meinen Jungen wiedersehen und in den Arm nehmen können. Mit den Gedanken und in dem warmen Wagon ist sie schnell eingeschlafen. Im Halbschlaf hört sie die Schaffner die Stationen aufrufen, wo der Zug auch anhalten muss. Villach ruft ein Schaffner, meine Mutter schreckt auf und ist auf einmal hellwach, ich muss umsteigen denkt sie. Meine Mutter hat nur kurz in Villach Aufenthalt, sie geht auf die andere Seite des gleichen Bahnsteigs und liest das erste Mal auf der Anzeige Graz. Sie steigt in den Zug und ist gar nicht mehr müde. Gegen Abend fährt der Zug in den Bahnhof Graz ein. Sie steigt aus und geht aus dem Bahnhof. Graz ist keine kleine Stadt, in welcher Richtung soll sie jetzt suchen. Sie will keine Zeit verlieren, und geht zu der nächsten Person und fragt nach der Straße.

Sie fragt mehrere Leute, bis sie eine Frau traf, die ihr den Weg beschreiben kann. Sie muss noch eine gute Wegstrecke laufen, bis sie in die Straße kommt. Jetzt geht sie von Haus zu Haus, liest die Namensschilder aber viele Häuser haben keine Schilder an den Haustüren. Eine Frau kommt die Straße entlang und fragt. „Wen suchen sie denn?“ „Ich suche eine Familie Konrad“, sagt meine Mutter. „Das ist das vierte Haus auf dieser Straßenseite“, sagte die Frau. Meine Mutter bedankt sich und geht das kurze Stück zu dem Haus. Meine Mutter steht jetzt vor der Tür, und ihr Herz schlägt bis zum Hals, sie ist sehr aufgeregt. Sie klopft an die Tür, sie hört Schritte im Haus, die Tür geht auf und ihr Schwager steht in der Tür. Aufatmen bei meiner Mutter sie hat ihren Schwager sofort erkannt, und fällt ihrem Schwager in die Arme. „Gott sei Dank“, sagte sie, „ist mein Josef hier?“, fragt sie schnell. „Josef“, ruft ihr Schwager ins Haus, „komm mal du hast Besuch, deine Mutter ist da.“ Meine Mutter zittert am ganzen Körper vor Aufregung, endlich kann sie nach drei Jahren ihr Kind wieder in den Arm nehmen, aber ihr Kind kommt nicht. „Komm rein Kathie“, sagt ihr Schwager und führt sie in das Zimmer, wo Josef und seine Frau sind. Meine Mutter geht auf ihren Sohn zu und will ihn in den Arm nehmen, aber Josef weicht ihr aus, verschämt versteckt er sich hinter der Frau ihres Schwagers. Wie bist du so groß geworden, ich habe dir auch etwas mitgebracht, sie packt die Hose aus die sie vom Roten Kreuz ausgesucht hatte und versucht ihn zu locken. Aber Josef weicht ihr wieder aus, und zeigt keine Regung in seinem Gesicht, schüchtern dreht er sich von seiner Mutter weg. Josef ist jetzt schon zwei Wochen bei uns, sagt der Schwager meiner Mutter. Sie sitzen am Abend alle am

Tisch, erzählen von der alten Heimat und der Flucht aus Jugoslawien. Meine Mutter sucht immer wieder Blickkontakt mit ihrem Kind, aber Josef schaut unter sich oder nach der Seite und weicht ihren Blicken immer wieder aus. Am nächsten Tag, immer wieder redet meine Mutter mit Josef von seinen Geschwistern, von Jugoslawien von unserem schönen Haus in Karavukovo. Josef nickt und gibt auch schon mal schüchtern Antwort. Am Abend erzählen meine Mutter und ihr Schwager wieder von der Flucht, und meine Mutter wagt es, den Unfall anzusprechen als Josef aus dem Zug gefallen ist. Sie sagt Josef zugewandt. „Josef, wo du aus dem Zug gefallen bist, da habe ich tagelang geweint, auch dein Bruder Michael weinte und alle Leute, die in dem Abteil waren.“ Das hat Josef im Herzen berührt, seine Lippen fangen an zu zittern und im österreichischen Dialekt bricht es laut über seine Lippen. „Mutter ich geb dir ein Bussl, dass die ganze Welt wackelt.“ „Oh mein Kind“, sagt sie. Der Knoten ist geplatzt, sie nimmt Josef in die Arme, beide weinen vor Glück, und wollen sich gar nicht mehr loslassen.

Sie bleiben noch ein paar Tage, dann ist es Zeit für die Heimreise. Meine Mutter packt ihren kleinen Koffer, auch Josefs wenige Sachen passen noch in den Koffer. Der Schwager und seine Familie bringen meine Mutter und mein Bruder an den Bahnhof von Graz. Beim Abschied sagt der Schwager, wir planen nach Amerika auszuwandern.

Mutter und Josef bedanken sich nochmals bei dem lieben und hilfsbereiten Schwager und seiner Familie. Mutter und Josef steigen in den Zug suchen sich ein Platz, und stellen sich an das Fenster und winken den Verwandten zu. Mit einem Ruck fährt der Zug wieder an, mein Bruder Josef und meine Mutter schauen sich erschrocken an. Sie packt Josef an der Schulter und drückt ihn fest an sich, jetzt wird alles wieder gut sagt sie zu meinem Bruder. Auf der langen Fahrt erzählt die Mutter Josef von seinen Geschwistern, seinen Cousinen und von dem schmalen Tal mit Bach und der alten Mühle, wo wir jetzt alle zusammen wohnen. Endlich nach einer langen Fahrt ruft der Schaffner Gaimühle, die Bremsen quietschen der Zug bleibt stehen, wir sind da, sagt Mutter zu Josef. Sie steigen aus gehen durch den Bahnhof, jetzt müssen wir noch ein paar Kilometer zu Fuß gehen sagt sie zu Josef. Deine Geschwister wissen nicht, wann wir nach Hause kommen, wir wollen sie überraschen. Am späten Nachmittag kommen sie in dem kleinen Ort Unterhöllgrund, das ist unsere neue Heimat sagt Mutter zu Josef. Als die Beiden auf dem Hof vor der Mühle angekommen sind, „hallo", ruft unsere Mutter laut, um auf sich aufmerksam zu machen. Einer nach dem anderen kommt aus dem Haus gelaufen, Familie Millie, Michael, Erwin die Oma, alle sind glücklich und begrüßen Mutter und Josef. Der lächelt freut sich, ist aber auch schüchtern und bleibt dicht bei Mutter. Sie gehen ins Haus und halten sich alle in unserer Küche auf. Sie setzen sich an den großen Tisch und Mutter erzählt von der langen Reise, als sie nicht über die österreichische Grenze durfte, und Nachts mit zwei jungen Männern illegal über die Grenze gegangen ist. Sie haben sich viel zu erzählen und der Abend verging sehr schnell, es ist spät geworden. Mutter sagt, gehen wir ins Bett, Josef und ich sind von der langen Reise müde. Josef du kannst bei mir schlafen sagt sie, der Platz neben mir, wo Vater schläft, ist noch leer. Vater ist noch immer in russischer Gefangenschaft. Nach ein paar Tagen sagte Mutter, ich muss Josef für die Schule anmelden, nächste Woche gehen wir nach Waldkatzenbach in die Schule und melden dich an. Josef gefällt das gar nicht, du bist zehn Jahre alt und musst noch ein paar Jahre in die Schule gehen. Der Tag kommt Mutter und Josef machen sich auf den Weg zur Schule. Der Weg ist sehr steil, führt durch den Wald den Berg hinauf und ist fast drei Kilometer lang. Alle Kinder aus dem Ort Unterhöllgrund müssen den schweren Weg in die Schule gehen. Die Kinder treffen sich und gehen dann gemeinsam. Eine Stunde gehen sie den Weg in die Schule, Josef wird seinem Lehrer und der Schulklasse vorgestellt. Auf dem Heimweg sagt er zu Mutter ich freue mich schon auf die Schule.

Die Monate vergehen wir sind immer noch sehr arm und hungrig, wir leben hauptsächlich von Kartoffeln, die verschieden zubereitet werden. Mutter hilft bei den Bauern, für Lebensmittel als Lohn. Fleisch gibt es nur ganz selten. Der Postbote kommt und ruft, Frau Konrad ich habe ein Brief für sie. Mutter kommt ganz aufgeregt aus dem Haus, was für mich, sagt sie ganz aufgeregt und erstaunt. Sie macht den Brief schon ungeduldig auf der Straße auf. Wieder kommt die ganze Familie aus dem Haus und stellt sich neugierig um Mutter und wollte wissen, was in dem Brief steht. Mutter liest, schreit auf einmal, mein Mann kommt aus der Gefangenschaft, Kinder euer Vater kommt heim sagt sie. Sie schaut dankbar zum Himmel und sagt laut, Gott sei Dank. Meine Tante Anna fragt, wann kommt er denn? Bei der nächsten Entlassung von Kriegsgefangenen und das ist nächste Woche sagt meine Mutter ganz aufgeregt.

Die Woche vergeht, der Tag der Entlassung von Kriegsgefangenen kommt. Meine Mutter sagt zu Michael und Josef, ihr dürft mitkommen Vater abholen, Erwin und Stefan sind noch zu klein, die müssen bei

der Oma bleiben. Mutter mit Michael und Josef gehen los, um Vater abzuholen. Erwin, ich und meine Cousinen Monika und Emma, stehen vor der Mühle auf der Straße und schauen den Weg hinunter und warten. Immer wieder ruft meine Tante oder Oma aus dem Haus, kommen sie schon, nein ruft mein Bruder und ich zurück. Nach langem Warten kommen Mutter, Michel, Josef und ein Mann, der seine Hand um unsere Mutter gelegt hat, den Weg zur Mühle hoch. Mein Bruder und ich rufen ins Haus, sie kommen, sie kommen. Tante, Oma, und mein Onkel Jörg alle versammelten sich wieder auf der Straße. Eine herzliche Begrüßung für Vater. Tante Anna begrüßt Vater und sagt. Schwager du bist der letzte von unserer Familie, der noch gefehlt hat, alle haben wir den Krieg und die Flucht überlebt, Gott sei Dank. Kinder sagt Mutter, das ist euer Vater, zu Vater sagt sie, das ist dein Sohn Erwin und das ist dein Sohn Stefan, der ist in Ungarn im Stall geboren. Mein Bruder Erwin und ich weichen ein Stück zurück, wir kennen unseren Vater nicht. Als er uns anspricht, und den Mund aufmacht sehen wir seine Zähne, die sind aus reinem Silber, das ist für uns erschreckend und unwirklich und wir haben ein bisschen Angst vor unserem Vater.
Meine Tante ruft in die Runde, kommt ins Haus, Oma und ich haben was Gutes gekocht. Wir gehen alle in das Haus und setzen uns an den großen Tisch, es duftet herrlich nach Fleisch. Meine Tante stellt eine Aluminium Schüssel mit Salat auf den Tisch. Die Schüssel ist ja noch von daheim aus Jugoslawien sagt Vater, ja sagt meine Mutter die hat auch überlebt, die ist ein bisschen verbeult, genau wie wir. Meine Oma holt den großen Topf von dem Herd und stellt ihn auf den Tisch. „Paprikasch“, sagt die Oma, und uns läuft das Wasser im Mund zusammen.

Paprikasch ist ein Gericht aus Kartoffeln, Fleischstücken mit Wasser aufgefüllt, viel roter scharfer und süßer Paprika und viel Knoblauch, ein Gericht aus der Heimat Jugoslawien.

Vater macht den Mund auf, zeigt uns Kindern nochmals seine Zähne und sagt, mit denen kann ich alles gut essen und ist ganz stolz auf seine silbernen Zähne. Die habe ich mir in der Gefangenschaft machen lassen. Für uns sehen die Zähne unwirklich und fürchterlich aus. Nach einiger Zeit hat Vater Arbeit in einem Basaltwerk bekommen, und er kann Geld verdienen, von da an geht es uns besser. Eines Tages kommt Vater von der Arbeit und hat uns Kindern einen jungen Hund mitgebracht, braun mit weißgrauen Flecken, das ist ein guter Spielkamerad für euch und wird mal ein guter Jagdhund. Neun Monate sind vergangen und wir bekamen ein kleines Schwesterchen, die wurde auch wieder Anna getauft. Wir sitzen wie eine Familie oft abends mit Tante Anna und Cousinen in unserer Küche am Tisch und spielen „Mensch ärgere dich nicht“. Dabei erzählten sie immer wieder von der schlimmen Flucht, und was sie alles erlebt haben. Vater sagt auf einmal, ein Jäger aus Waldkatzenbach würde uns zwei Ferkel im Tausch für unseren Hund geben, die können wir dann groß ziehen, wir können uns kein teures Fleisch kaufen, fügt er entschuldigend hinzu. Wir Kinder sind natürlich dagegen und versuchen das zu verhindern. Vater versucht uns Kinder zu beruhigen, und sagt, der Jäger nimmt euren Hund mit in den Wald und auf die Jagd, das macht ihm bestimmt auch viel Spaß. Am frühen Morgen als Vater auf die Arbeit ging nahm er unser Hund mit. Die ganze Familie trauert um den treuen Hund.

Am Abend als Vater von der Arbeit kommt, hat er zwei kleine Ferkel im Rucksack mitgebracht. Er sperrte die

zwei Ferkel in den Stall unter der hohen Treppe, wo vorher auch unser Hund geschlafen hatte. Es ist Wochenende und wir sind alle Zuhause. Mein Bruder Erwin und ich gehen aus dem Haus, als wir die Treppe hinunter gehen, hören wir ein Wimmern aus dem Stall, wo die Ferkel sind. Die Stalltür ist zweiteilig und die obere Hälfte steht immer offen. Wir gehen zu der Stalltür und schauen über die untere Hälfte der Tür in den Stall. Unser Hund ist wieder da, Vater rufen Erwin und ich, unser Bello ist wieder da. Die ganze Familie kommt aus dem Haus wollte den Hund sehen. Der liegt in seinem Stall kann nicht aufstehen und wimmert vor Schmerzen. Mit traurigen und hilfesuchenden Augen schaut er uns an. Er hat ein tiefes kreisrundes Loch im Kopf. Der wollte den Hund töten, schreit mein Vater außer sich vor Wut, wer fragt meine Mutter, der Jäger schreit Vater weiter, der kann was erleben. Wir pflegten den Hund noch zwei Tage dann ist er an seinen schweren Verletzungen gestorben.
Vater stellte den Jäger zur Rede „was hast du mit dem Hund gemacht“ sagt er zu dem Jäger aufgeregt. Der sagte der Hund hat den Schwanz nicht gekürzt, so wie das für diese Hunderasse üblich ist. Er wollte den Hund mit einem Bolzen Schussapparat töten. Der Mann glaubte der Hund ist tot, und hat ihn im Wald vergraben. Demnach hat sich der schwer verletzte Hund selbst ausgegraben, ist drei Kilometer nach Hause gelaufen und über die geteilte Stalltür in seinen Stall zurückgekehrt.
Es ist vor Weihnachten 1950 die beiden Schweine sind gut gewachsen. „Wir wollen ein Schwein schlachten“, sagt Vater. Er spricht mit Onkel Jörg, der hat daheim in Jugoslawien auch schon mal Hausschlachtungen gemacht. Beide Familien halfen das Schwein zu schlachten

und es war ein großes Fest, jeder konnte sich mit Fleisch und Wurst richtig satt essen.
Die alte Mühle ist baufällig und wir können in dem Haus nicht mehr wohnen bleiben. Vater bekommt von der Gemeinde Waldkatzenbach ein Bauplatz angeboten, ein Quadratmeter für Fünfzig Pfennig. „Wir nehmen das Angebot an und bauen ein Haus“, sagt er zu Mutter. „Ich kümmere mich um die Finanzierung“, sagt Vater voller Tatendrang. Im Jahr 1952 bekamen wir noch eine Schwester, die haben wir Hilde getauft. Das Haus wird mit viel Eigenleistung von Vater, Michael und Josef gebaut und 1955 sind wir eingezogen. Jetzt hat Vater nur noch einen kurzen Weg auf die Arbeit und wir Kinder haben auch nur noch einen kurzen Weg in die Schule und brauchen nicht mehr den steilen und langen Weg durch den Wald vom Unterhöllgrund nach Waldkatzenbach zu gehen. Auch Familie Milli haben noch einen Sohn bekommen, und haben ihn Peter genannt. Sie kauften sich ein älteres Haus in Waldkatzenbach und wir konnten uns wieder öfter besuchen. Wir alle haben den Krieg, die lange Flucht und Vertreibung und die arme Zeit nach dem Krieg überlebt, haben uns in Deutschland integriert, und werden auch nicht mehr Flüchtling geschimpft.

Stefan Konrad wurde 1945 als Sohn von heimatlosen Flüchtlingen in Ungarn in einem Stall geboren, und 1946 mit seiner Familie nach Deutschland abgeschoben. Er machte eine Schlosserlehre und ging in die Industrie, arbeitete sich zum Industriemeister hoch. Mit 57 Jahren ging er auf eigenen Wunsch in den Vorruhestand. Jetzt hat er viel Zeit für seine fünf Enkel, treibt viel Sport, und beschreibt die traumatischen Erlebnisse seiner Familie in einem Buch.

Lightning Source UK Ltd.
Milton Keynes UK
UKHW020954130720
366454UK00017B/1584

9 783738 653076